French
For
Reading
Knowledge

SECOND EDITION

Joseph Palmeri · E. E. Milligan

The University of Wisconsin

D. VAN NOSTRAND COMPANY

New York   Cincinnati   Toronto   London   Melbourne

Cover border based on a design used by Simon de Colines, Paris, 1534

D. Van Nostrand Company Regional Offices:

New York   Cincinnati

D. Van Nostrand Company International Offices:

London   Toronto   Melbourne

Published by D. Van Nostrand Company

450 West 33rd Street, New York, N.Y. 10001

10 9 8

PREFACE

We wish to thank the many users of the First Edition of *French for Reading Knowledge* who have been kind enough to make suggestions for improvements. Most of their suggestions have been incorporated.

French for Reading Knowledge differs from the traditional, as well as the current audio-lingual type of text. It differs in aim, approach, teaching technique, vocabulary, and reading material. The book is not intended for those interested in acquiring a practical speaking knowledge. It is rather meant to reach that large number of students, college freshmen or graduates, who would like to acquire a reading knowledge of French in the minimum amount of time. It fills a gap. It replaces no other text.

The basic vocabulary, basic for reading only and rather small, includes those words which the student will need for further reading in his own or other fields. There are a few words, though, which go beyond a basic list; they had to be included for practical purposes and are, for the most part, translated. The reading matter includes a large number of quotations from a great variety of authors and scientists. These have proved to be an outstanding feature, especially for those whose discipline is not in the humanities. In learning the language, the student has been led to some appreciation of the wisdom of France's outstanding creative thinkers.

The Second Edition has retained the simplicity of the First. All the exercises have been enlarged and others added. Thus, the needs of those who wish to acquire a simple reading knowledge are now more adequately served than before. We have also added several appendices, substantially expanding the treatment of grammatical points and offering other useful tools to the student.

Suggestions to graduate students preparing a French reading requirement:

Perhaps half the graduate schools in the United States now administer the examination prepared by the Educational Testing Service or a similar organization. Students taking these examinations should, without fail, study carefully the various appendices, a knowledge of which will be indispensable for success.

We especially appreciate the assistance of our colleague, Professor Carleton W. Carroll, who read the manuscript critically and made numerous suggestions.

J. P.
E. E. M.

IMPORTANT NOTICE
TO THE STUDENT

The first section of this book demonstrates that you know before starting at least 2,000 French words, most of which are either spelled the same as in English or are easily recognized. *French for Reading Knowledge* makes full use of this knowledge. The exercises are based very largely on it, and as a result they are very easy. Occasionally, though, you are asked to do some guessing.

Your guessing has not been left to chance but to intelligent deduction or inference. The probable meaning of a new word or phrase should be determined:

1. by remembering that many French words resemble English words of the same meanings,
2. by associating the new words with other French words which you have learned (for example, **visite, visiter, visiteur** are obviously related words),
3. by examining the context (each sentence must convey a logical thought; it must make sense).

The correct meaning of each word or phrase you are asked to guess will be found in the vocabulary at the end of the book. You are earnestly urged, though, not to look up the meanings

v

of such words except as a last resort. Don't try to "save" time, don't be mentally lazy; give yourself a chance. Guessing the probable meanings of new words or phrases by association or by examination of the context in which they occur is an interesting game and, if fairly played, a worthwhile one, for among other things it trains the imagination and teaches self-reliance.

TABLE OF CONTENTS

❧ INTRODUCTION

Essentials of Pronunciation

A. SYLLABICATION (*Division of words into syllables*)

A syllable is a pronounceable unit. A vowel can be pronounced alone but a consonant, to be pronounceable, must occur with a vowel: **a, le, ma, il**

So far as possible every syllable in French begins with a consonant:

ca/fé, Ma/rie, a/ni/mal (initial vowel constitutes a syllable)

The first of two or more consonants (except a consonant + **r** or **l**, which blend) is pronounced with the preceding syllable, the other(s) with the following syllable:

mer/ci, ad/mis, é/cri/vain, ta/bleau

B. STRESS

French syllables are pronounced with almost equal force, a *very light* stress being given to the last syllable, except in words

1

ending in silent **e** (**e** without written accent) when the next-to-the-last syllable receives the stress:

Paris, vertu, liberté, but **artiste** (since final **e** is silent)

C. CONSONANTS

Most French consonants are pronounced approximately as in English. The following exceptions should be noted:

1. Final consonants are generally silent except **c, r, f, l,** and **q.** Recall the exceptions by remembering: *C* a *R* e *F* u *L* + *Q*

    héros, furieux, objet, objets, avec

   Note:

   a. Consonants are always pronounced when followed by a vowel:

       petit but **petite**

   b. The letter **r** is silent in verbs ending in -**er** (**admirer, décider**) and in words of more than one syllable ending in -**ier** (**premier, dernier**)

2. **C** followed by **e, i,** and **y;** and **ç** are pronounced like *s* in *see:*

    certain, cinéma, cylindre; garçon, façade

   In all other cases, except in the combination **ch, c** is pronounced like *k:*

    café, courage, curé, classe, crayon

3. **Ch** is generally pronounced like *sh* in *shoe:*

    Charles, chocolat

4. **G** followed by **e,i**, and **y**; and **j** are pronounced like *s* in *pleasure*:

   général, gilet, gymnase; jargon, juge

   In all other cases, except in the combination **gn**, **g** is hard as in *go*:

   garage, gouvernement, gladiateur, grande, guitare (**u** in **gu** silent)

5. **Gn** is pronounced like the *ni* in *onion*:

   magnifique, champagne

6. **H** is always silent: **hôtel, théâtre** (**ph**, however, is pronounced like *f*: **philosophie**)

7. **Ill** in the middle of a word, and **il** at the end of a word are usually pronounced like the *y* in *yet*:

   fille, famille; soleil, travail

   Note the following exceptions:

   ville, mille, tranquille, village, in which *l* is pronounced as in English

8. **Qu** is usually pronounced like *k*:

   qualité, question

9. **T** in the ending **-tion** is pronounced like *s* in *see*:

   nation, action

10. Double consonants usually have the same sound as single consonants:

    donner, aussi

D. VOWELS

Note well:
In words of more than one syllable, final e (e without written accent) is silent:

ell¢, facil¢, tabl¢, tabl¢$

French vowels	English Approximations	Examples
a, à	*a*t	m*a*d*a*me, *à*

Except in verbal endings, â is like the *a* in f*a*ther: *â*me.

| e (without written accent at end of syllables) | *a*bove | le, ne, devant, leçon |
| é | l*a*te | été, café, vénéré |

Note: This sound occurs also in the word et and in:

Spelling	Examples
-er (final, when r is silent)	arriver, aid*er*
-es (where e is the only vowel)	les, des, mes
-ez (final)	avez, chez, aim*ez*
-ai (final)	j'*ai*, g*ai*, donn*ai*

| è, ê | l*e*t | mère, père, tête, fête |

Note: This sound occurs also in the word est and in:

Spelling	Examples
e + two consonants	elle, celle, cette
ei	peine, pleine
aî, ay, ai (not final)	maître, crayon, mais

eau (same as ô)		
eu (and œu)	sir	p*eu*, d*eu*x, s*œu*r
i, î, y	machine	*ici*, *île*, st*y*le
o (when not final sound)	bought	*o*ctobre, p*o*rt, *o*fficiel
ô, eau, and o (when final sound)	b*oa*t	h*ô*tel, m*o*t, n*o*s, b*eau*
oi	w*a*tt	m*oi*, tr*oi*s, v*oi*là
u	like German *ü*[1]	

NASALS (nasal = vowel + **m** or **n** in same syllable)

an, en, am, em	c*a*lm	d*a*ns, *en*f*an*t, *am*ple, t*em*ps
on, om	don't	*on*, b*on*, régi*on*, t*om*be
un, um	grunt	*un*, l*un*di, parf*um*
in, ain, ein, ien, yn, im, aim, eim, ym	c*a*n't	*in*dustrie, p*ain*, s*ein*, r*ien*, s*yn*taxe, *im*portant, f*aim*, R*eim*s, s*ym*pathique

E. SEMI-VOWELS (*also called semi-consonants since they are on the borderline between vowels and consonants*):

When the vowel **i** or **y** comes before a vowel of stronger stress (any vowel except mute **e**), it is pronounced rapidly with the tongue slightly closer to the palate than usual. That is to say, it is pronounced somewhat like *y* in *yes:*

bien, première, croyons

The vowel combination **ou**, before a vowel of stronger stress, is pronounced like *w* in *wish:*

oui, Louis, Louise

[1] This French sound may be formed by rounding lips as for *oo* in *boot* but uttering, instead, *ee* in *feet.*

F. LINKING

When no logical stop is possible between two words, the final consonant of the first word, usually silent or not, is carried over and pronounced with the first vowel of the following word if it starts with a vowel or silent **h** (**h** is always silent except as explained on page 3):

les‿étudiants; les bons‿étudiants; six‿hommes

In linking, **s** and **x** are pronounced like *z*.
d is pronounced like *t* (quand‿on, quand‿il).

Cognates (*Related Words*)

A great many French words are like English words and have the same meaning. These are called cognates. Of the first 5000 most common French words, you already know about 2000, or 40 per cent. For example, most French words ending in -ion, -al, -ance, -ence, -ude, -able, -ible are spelled the same in French and English:

attention, intention, passion, permission; animal, cordial, rival, minéral; ignorance, arrogance, importance, vigilance; différence, prudence, excellence, intelligence; fortitude, servitude, gratitude, attitude; admirable, inévitable, probable, curable; possible, intelligible, incompatible, inflexible.

There are also many words that are easily recognized. For example, many nouns ending in -té and others ending in -eur have English equivalents in *-ty* and *-or* respectively: **liberté, vanité, nécessité, charité; acteur, aviateur, professeur, moteur.**

Similarly, French words ending in -iste, -eux, -aire, -ique have English equivalents in *-ist, -ous, -ary, -ic* (*al*) respectively:

artiste, idéaliste, dentiste, pessimiste; fameux, curieux, furieux, délicieux; ordinaire, secondaire, temporaire, contraire; musique, comique, héroïque, république.

Many French nouns ending in -re have English equivalents in -er, and adjectives ending in -if have English equivalents in -ive:

arbitre, centre, décembre, lettre, offre, monstre, ordre, désordre, théâtre; abusif, actif, attentif, instructif, oppressif, progressif.

The scientific and technical vocabulary is very similar in both languages:

acide, aileron, alcali, analyse, anémique, ampère, algèbre, analogue, angle, anatomie, ammoniac, aorte, artère, atome, bactérie, baromètre, *etc.*

There are hundreds of words that cannot be classified but which are easily recognizable:

riche, soupe, article, liquide, exemple, climat, table, page, classe, objet, tulipe, dessert, café, difficile, cathédrale, problème, plus, absent, demande, innocent, garage, océan, profond, enveloppe, boulevard, air, sombre, taxi, moment, calme, personne, hôtel, cinéma, drame, grand, aimable, million, étiquette, tragédie, comédie, sabotage, scène, musicien, fiancée, liste, exploit, long, date, cause, justice, système, blâme, confort, rendez-vous, automne, débutante, réservoir, appétit, journal, menu, cycle, compartiment, idée, douzaine, radio, talent, science . . . naturellement (*naturally*), absolument, directement, ordinairement, complètement, immédiatement . . . admirer (*to admire*), adorer, abandonner, aider, affirmer, analyser, assembler, assurer, arriver, arrêter, *etc., etc.*

Note also that many -er verbs have English equivalents in -ate:

célébrer, contempler, cultiver, inaugurer, irriter, méditer, modérer, séparer.

The circumflex accent (^) often indicates the presence of the letter *s* in the English cognate:

FRENCH	ENGLISH
hâte	*haste*
forêt	*forest*
île	*isle*
maître	*master*
hôpital	*hospital*

Note well:
As shown by the foregoing, the differences in the spellings of related French and English words occur, usually, in the *endings*: liberté, liber*ty*; act**eur**, act**or**; directe**ment**, direct*ly*.

◈ PART 1

1. PRESENT TENSE OF être (*to be*)

Affirmative

je suis	*I am*
tu es	*you are*
il (elle, on) est	*he (she, one) is*[1]
nous sommes	*we are*
vous êtes	*you are*
ils (elles) sont	*they are*

Interrogative

suis-je?	*am I?*
es-tu?	*are you?*
est-il (elle, on)?	*is he (she, one)?*
sommes-nous?	*are we?*
êtes-vous?	*are you?*
sont-ils (elles)?	*are they?*

[1] Il and elle may also mean *it*.

9

2. NEGATION (*not*)

Ne or **n'** before the verb and **pas** after it are translated *not*.

je ne suis pas	*I am not*
il n'est pas	*he is not*
ne sont-ils pas?	*are they not?* (*aren't they?*)
vous n'êtes pas	*you are not*
n'est-elle pas?	*is she not?* (*isn't she?*)

Translate

1. Charles est intelligent. Louise est intelligente[1] aussi.
2. Marie n'est pas intelligente. Elle n'est pas stupide. Elle est active.
3. Paul n'est pas actif. Ils sont actifs. Vous êtes actif.[2] Êtes-vous actifs?[2]
4. Nous sommes Américains. Ils ne sont pas Américains.
5. Es-tu courageux? Je suis courageux. Elle est courageuse.
6. N'êtes-vous pas Italien? Il est Italien.
7. Je suis Français. Es-tu Français aussi?
8. Hélène est Française. Elles sont Françaises aussi.
9. N'est-il pas Canadien? Il est Canadien. Elle n'est pas Canadienne.
10. Monsieur Lenoir est professeur. Il n'est pas riche. Il est pauvre. Les professeurs sont pauvres. Êtes-vous pauvre? Ah! vous n'êtes pas professeur!
11. Nous sommes Italiens. Ils sont Africains.
12. N'êtes-vous pas Anglais? Je suis Anglais.
13. Paul n'est pas en Italie. Il est en France. Il est à Paris.
14. Joseph est musicien. Hélène est musicienne aussi.

---

[1] Adjectives agree in *gender* and *number* with the words they modify; explained in SECTION 15.

[2] The **vous** form of address may refer to one or more persons. This form of address is formal or polite. The **tu** form is familiar and always refers to one person.

15. Ils sont en Europe. Ils ne sont pas en Afrique.
16. Sont-ils en Espagne? Non, monsieur, ils sont en Belgique.
17. Il est cruel. Est-elle cruelle? Elles sont cruelles. Ils sont cruels.

3. GENDER, PLURAL OF NOUNS

In French, nouns are either masculine or feminine; there are no neuter nouns in French. The plural of most nouns is formed by adding **s** to the singular (**table, tables**).[1]

4. THE INDEFINITE ARTICLE, ENGLISH *a* OR *an*

The indefinite article is

un before a masculine singular noun,
une before a feminine singular noun.

5. THE DEFINITE ARTICLE, *the*

The definite article is

le before a masculine singular noun beginning with a consonant,
la before a feminine singular noun beginning with a consonant,
l' before any singular noun starting with a vowel or silent **h**,
les (the plural of **le**, **la**, and **l'**) before any plural noun.

[1] Nouns ending in **-eur** are usually masculine; most nouns ending in **-ion**, **-ance**, **-ence**, **-té**, **-ude**, and **-ie** are feminine.

6. USE OF DEFINITE ARTICLE

The definite article is used far more in French than in English. Nouns used in a general sense, abstract nouns (nouns which have no physical existence), and often names of languages, countries, and so on, take the definite article in French although not necessarily in English. (For specific uses of the definite article, see Appendix A, SECTION 76.)

Examples:

L'homme est mortel.	*Man is mortal.*
Le courage est une vertu.	*Courage is a virtue.*
J'étudie le français.	*I am studying French.*
La France est en Europe.	*France is in Europe.*

Translate

1. Robert étudie l'algèbre, l'histoire et la botanique.
2. La musique est un art. La patience est une vertu.
3. Le français n'est pas difficile; il est facile.
4. Paul est un grand artiste; il est musicien.
5. Les Alpes sont situées entre la France et l'Italie.
6. Les critiques judicieux sont rares.
7. Le talent est une longue patience.—Maupassant, paraphrasing Buffon
8. La patience est l'art d'espérer (*of hoping*).—Vauvenargues

Basic Vocabulary

à *to, at*	**sans** *without*
de *of, from*	**et** *and*
dans *in*	**voici** *here is, here are*
avec *with*	**voilà** *there is, there are*

Translate

1. le cousin, les cousins, le cousin et la cousine, les parents, la valise, avec Louis, sans la cousine, à la nièce

2. dans l'automobile, sans la nièce, à Robert, avec Louise, de Milwaukee, à Rome, sans passion, avec importance, dans la soupe
3. Voici la lettre. Voilà les fruits. Voilà l'hôtel. Voici le café.
4. en France, à Paris, en Amérique, dans le corridor
5. Voilà Paul. Il est avec la cousine de Marie.
6. Être[1] naturel dans les arts, c'est[2] être sincère.—Joubert

7. CONTRACTIONS

au = **à** + **le** *to the, at the*   **du** = **de** + **le** *of the, from the*
aux = **à** + **les** *to the, at the*   **des** = **de** + **les** *of the, from the*

Basic Vocabulary

qui *who, whom, which, that*
le père *father*
la mère *mother*
le fils *son;* **les fils** *sons*
la fille *daughter* (**jeune fille** *girl*)

où *where* (**ou** *or*)
le garçon *boy*
l'enfant m. or f. *child*
le pays *country;* **les pays** *countries*
il y a *there is, there are*

Translate

1. au père, des mères, du fils, des fils, de l'oncle, aux oncles, à la jeune fille, aux jeunes filles, du garçon, des enfants, de la grand-mère, du grand-père
2. Robert est au restaurant. Il est avec Marie.
3. Sont-elles au théâtre? — Elles sont au concert.
4. Le garçon n'est pas au café.
5. Robert est le fils de monsieur Lenoir.

[1] The written accent is usually omitted on an initial capital letter, except on **E**.
[2] **C'** (also **ce**) is often redundant (superfluous) before the forms of **être**.

6. Elles sont avec une des cousines de Blanche.
7. Qui est la jeune fille qui est avec Robert?
8. Où est la mère des enfants? Où est-elle?
9. (Do not look up any words.) Le Rhin est un fleuve qui se jette (*empties*) dans la mer du Nord.
10. (Note position of adjectives):
    a. La France est située à égale distance du pôle nord et de l'équateur.
    b. La France est un des grands pays de l'Europe occidentale. Au centre du pays il y a un vaste plateau de granit, le plateau central ou le Massif Central.
11. La liberté politique est impossible sans la liberté de la presse.
12. La justice est inséparable de la bonté (*goodness*). —J.–J. Rousseau

Translate

1. vous 2. elle 3. on 4. ils 5. nous 6. il 7. tu 8. elles

Translate

1. vous n'êtes pas 2. elles sont 3. ne sont-ils pas? 4. elle n'est pas 5. je suis 6. es-tu? 7. nous sommes

Match and Translate

1. nous	a. es
2. on	b. sommes
3. ils	c. est
4. tu	d. êtes
5. elle	e. suis
6. vous	f. sont
7. elles	
8. Paul	

Translate

1. de l'automobile 2. du concert 3. à l'animal 4. du garage
5. au café 6. des cousins 7. aux clients 8. de la soupe
9. des sciences 10. dans la classe 11. sans confort 12. avec
le guide 13. du budget 14. aux arguments 15. des océans
16. la liberté 17. complètement 18. le contraire 19. la
république 20. sans le garçon 21. avec regret 22. du père
23. aux mères 24. des enfants 25. dans l'Amérique du nord
26. du nord au sud 27. de l'est à l'ouest 28. dans le reste du
pays
29. Voici le restaurant. Sont-ils au restaurant?
30. Voilà Paul. Il vient (*is coming*) du cinéma.
31. Le Sahara s'étend (*extends*) de l'Égypte à l'océan Atlantique et de la Méditerranée au Soudan.
32. L'Amérique est un continent. Les États-Unis sont dans
l'Amérique du Nord.
33. L'art est un instrument de création.
34. L'art n'est pas la réalité. — Flaubert
35. Tout (*everything*) est nécessaire. —Senancour
36. Tout peut (*can*) changer en un instant. —Alain

8. PRESENT TENSE OF avoir (*to have*)

Affirmative

j' ai	*I have*
tu as	*you have*
il (elle, on) a	*he (she, one) has*
nous avons	*we have*
vous avez	*you have*
ils (elles) ont	*they have*

Interrogative

ai-je?	*have I?*
as-tu?	*have you?*

a-t-il (elle, on)?[1]	*has he (she, one)?*
avons-nous?	*have we?*
avez-vous?	*have you?*
ont-ils (elles)?	*have they?*

Basic Vocabulary

deux *two*	avoir ... ans *to be ... years*
trois *three*	*old*
quatre *four*	combien (de) *how much,*
cinq *five*	*how many*
petit *small*	quel *what, which*
grand *big, great, tall*	ne ... que *only*

Translate

1. elle a, ils ont, a-t-on? n'avez-vous pas? ils n'ont pas, ils ne sont pas, n'avons-nous pas? j'ai, je ne suis pas, êtes-vous? quel garçon? quelle jeune fille?
2. M. et Mme (Monsieur et Madame) Lenoir ont cinq enfants, deux fils et trois filles.
3. Mlle (Mademoiselle) Renal a un oncle à New York.
4. M. Leblanc n'a qu'un fils, un petit garçon de cinq ans.
5. Nous avons deux petites filles, une de quatre ans et une de deux ans.
6. Combien d'enfants avez-vous, monsieur?
7. La France a cinq grands fleuves: La Seine, la Loire, le Rhône, la Garonne et le Rhin.
8. Quel âge as-tu, petit garçon? — J'ai six ans. Je n'ai que six ans.
9. Quel âge avez-vous? Quel âge a-t-il? Quel âge a-t-elle?
10. Madame Rimbot est une grande violoniste. Elle est petite. Elle n'est pas grande.

---

[1] Note the -t- between the verb and the subject. This construction occurs only in the third person singular whenever, in questions, a verb ends in a vowel and the subject is **il, elle** or **on**.

11. J'ai un rendez-vous avec Louise. Avez-vous un rendez-vous aussi?
12. La raison et la liberté sont incompatibles avec la faiblesse. — Vauvenargues

9. POSSESSION

Possession, usually expressed by *'s* in English, is expressed in French by **de** plus the possessor:

> *Example:*   **le frère de Marie,** *Mary's brother*

Basic Vocabulary

sur *on, upon*
sous *under*
très *very*
pour *for* (before infinitive, *to, in order to*)

l'homme *the man*
la femme[1] *the woman*
l'ami m., **l'amie** f. *friend*
la vie *life*

Translate

1. avec le cousin, sans la cousine, de la nièce, sans courage, à Chicago, de Paris, dans la Louisiane du nord, en France, l'amie de Paul, pour le garçon, pour être, pour avoir
2. Paul est avec Marie. Il n'est pas avec Louise.
3. La lettre est sur la table. — Quelle table? — La grande table.
4. Le chat n'est pas sous la chaise.
5. Où est Paul? Est-il avec vous?
6. N'est-il pas avec vous? Il n'est pas avec Louise.
7. Nous sommes de Madison. Êtes-vous de Chicago?
8. Où sont les étudiants? Où sont-ils?
9. Où sont les photographies? Ne sont-elles pas sur la table?

---

[1] The first **e** is pronounced like *a* in *hat*.

10. La vie est très intéressante. — La vie des étudiants, monsieur?
11. Où est le frère de Louise? Qui est le frère de Louise?
12. La vie est courte; elle est très courte.
13. Les plaines et les vallées de la France sont très fertiles.
14. N'avez-vous pas l'adresse de monsieur Dupont à Chicago?
15. Les femmes sont extrêmes; elles sont meilleures (*better*) ou pires que les hommes. — La Bruyère

10. THE PARTITIVE

The partitive idea, the idea of *some* or *any*, is often implied in English; in French, it is always expressed. Before a noun, it is expressed by **de, d', du, de la, de l',** or **des.** When there is no noun, the idea of *some* or *any* is expressed by **en,** which usually stands before the verb:

> **Avez-vous des cigarettes? — J'en ai.**
> *Have you any cigarettes?—I have (some).*

En may also mean *of it* or *of them* and is always expressed:

> **Combien de frères avez-vous? — J'en ai trois.**
> *How many brothers have you?—I have three (of them).*

(For a detailed explanation of the partitive, See Appendix A, SECTION 77.)

Basic Vocabulary

l'argent m. *money*
la ville *city*
souvent *often*
peu *little*
assez *enough*

beaucoup *much, very much, a lot, a great deal*
trop *too much, too*
tant *so much, so many*

Translate

1. du café, des fruits, de la musique, des roses, de l'argent, assez de soupe,[1] peu d'argent, beaucoup de villes, une douzaine de bananes, tant de touristes, trop d'enfants

2. En avez-vous? Combien en avez-vous? En avez-vous assez? Combien d'oranges désirez-vous? Combien en désirez-vous?

3. J'en ai. Ils en ont aussi. Elle en a peu. Tu en as beaucoup. Il en a trop. Elles n'en ont pas. Vous en avez tant!

4. trop petit, trop grand, un peu grand, un peu petit, assez grand, pour continuer, pour être, pour inviter, pour le père ou pour la mère? assez souvent, très souvent, trop souvent

5. Paris, Bordeaux et Lyon sont de grandes villes. Elles sont situées sur des fleuves (*rivers*).

6. Les grandes villes sont souvent situées sur de grands fleuves ou au bord de la mer.

7. Avez-vous des oranges? — Oui, madame, nous en avons. Nous avons aussi des légumes (*vegetables*) frais.

8. Les Alpes sont des montagnes situées entre la France et l'Italie.

9. A-t-il des enfants? — Il en a. Il n'en a pas.

10. Y a-t-il des enfants? — Il y en a. Il n'y en a pas.

11. Le professeur a de la patience. Il a aussi un peu de modestie.

12. Y a-t-il des automobiles dans la rue (*street*)? — Il y en a deux (cinq, peu, assez, beaucoup, tant, trop).

13. On a souvent de la difficulté à gagner (*earn*) de l'argent.

14. D'ordinaire (ordinairement) les femmes sont un peu curieuses.

15. N'avez-vous pas d'influence politique? — J'en ai peu (un peu, assez).

16. A-t-elle de l'argent? — Elle en a beaucoup (trop, tant).

[1] *Note:* Adverbs of quantity take a **de** (or **d'**), which is usually not translated, before a noun.

17. Il y a des hommes qui sont de grands enfants.
18. Les hommes ont de grandes prétentions, et de petits projets. — Vauvenargues
19. La vérité est qu'il n'y a pas de race pure. — Renan
20. Il n'y a pas de roses sans épines. — Proverbe

Translate

1. nous avons   2. vous êtes   3. ils ont   4. tu as   5. je suis
6. elles sont   7. avez-vous?   8. je n'ai pas   9. n'ont-ils pas?
10. elle n'a pas   11. ne sont-ils pas?   12. nous sommes.

Translate

1. sous le piano   2. pour l'enfant   3. pour être   4. quel fruit?
5. quelle jeune fille?   6. quels garçons?   7. sur quelles tables?
8. au fils de Louise   9. sur quel sujet?   10. une longue vie
11. les amis de Paul   12. il a   13. il y a   14. deux amis
15. quatre femmes   16. assez d'argent   17. beaucoup de fleurs
18. beaucoup de charme   19. tant d'admirateurs   20. tant de
prudence   21. trop de modestie   22. trop d'amis   23. peu
d'attention   24. peu de villes   25. tant de jeunes filles
26. Quel âge a le petit garçon? Il a trois ans. Il n'a que trois ans.
27. Quel âge a-t-elle? Elle n'a que six ans.
28. Avez-vous des enfants? Combien d'enfants avez-vous? Je n'ai qu'une enfant, une petite fille de cinq ans.
29. Le climat de la France n'est pas rigoureux. La France est dans la zone tempérée. Le climat des provinces du sud est très agréable.
30. La France est un des grands pays de l'Europe. Le Luxembourg est un petit pays.
31. Qui est la jeune fille qui est avec Louis?
32. Êtes-vous la fille de Monsieur Dupont?
33. Le père et la mère de Marie sont à Chicago. Ils sont de Chicago. Ils ont un petit fils de quatre ans.

34. Les Français ont la passion de la liberté. En général ils ont le sentiment de l'honneur.
35. La terre (*earth*) n'est pas une sphère parfaite. Elle a la forme d'une poire.
36. Il a de l'originalité, mais il n'a pas de talent.
37. Ils n'ont ni amis ni argent.
38. Je n'imagine pas le génie, sans le courage. —Montherlant
39. Du sublime au ridicule il n'y a qu'un pas (*step*). —Napoléon
40. Il n'y a point (*at all*) de petits pas dans les grandes affaires. —Le Cardinal de Retz

11. PRESENT TENSE OF –ER (FIRST CONJUGATION) VERBS

The endings of the present tense of a great many French verbs are **-e, -es, -e, -ons, -ez, -ent**. These endings are attached to the *stem* of nearly all **-er** verbs after the **-er** has been dropped:

trouver *to find*

je trouve	nous trouvons
tu trouves	vous trouvez
il (elle, on) trouve	ils (elles) trouvent[1]

The present tense has three possible translations. Thus **je trouve** may mean *I find* or *I am finding* or *I do find*, depending on the context.

Note well:

Learn well the present tense of all verbs. You will find later that a thorough knowledge of the present tense is of great help in determining most of the other tenses.

---

[1] The verb ending **-ent** is always silent.

Basic Vocabulary

parler *to speak, to talk*
regarder *to look, to look at*
aimer *to like, to love*
travailler *to work*
porter *to carry, to wear*

donner *to give*
écouter *to listen, to listen to*
chercher *to look for, to search for, to seek*

Translate (giving as many translations as good English permits)

1. ils écoutent, vous donnez, donnez-vous? ne donnez-vous pas? je regarde, elle parle, parle-t-il? cherchent-ils? n'aimez-vous pas?
2. nous trouvons, elle ne porte pas, vous portez, nous travaillons, il n'écoute pas, écoute-t-elle? pour parler, pour travailler, pour porter, pour chercher
3. Ils passent l'automne en France. Ils aiment voyager.
4. Elle porte souvent de belles robes. Elle en porte souvent.
5. Préférez-vous du thé ou du café, monsieur?
6. Madame Lenoir cherche des domestiques. Elle en trouve. Elle n'en trouve pas. En trouve-t-elle? En trouve-t-elle assez? N'en trouve-t-elle pas assez?
7. Les amis de Louis voyagent dans l'Amérique du Sud.
8. Michel quitte la ville sans regret.
9. Les femmes détestent la vanité des hommes.
10. D'ordinaire (ordinairement) on aime voyager.
11. Nous cherchons la solution du problème. — Quel problème?
12. Elle entre dans le restaurant de l'hôtel.
13. Parlez-vous français? — Non, monsieur, je ne parle que l'anglais.
14. Robert passe la soirée (*evening*) au café.
15. Les petites filles aiment les bicyclettes.

16. En Europe on parle souvent deux ou trois langues. Combien en parlez-vous?
17. Ah! Voici une méthode qui aide la mémoire!
18. Il trouve l'argent. Il trouve de l'argent.
19. Ils travaillent. Ils continuent à travailler. Nous continuons à travailler aussi.
20. Qui est la jeune fille qui regarde les photographies?
21. Nous ne donnons pas de café aux enfants.
22. Écoutez-vous? — J'écoute attentivement.
23. J'accepte avec beaucoup de plaisir.
24. La mémoire est un miroir où nous regardons les absents. — Joubert
25. Les dettes abrègent la vie. — Joubert

12. POSITION OF ADJECTIVES

Adjectives usually follow the noun in French:

> **le vin rouge,** *the red wine*
> **une école catholique,** *a Catholic school*
> **des dames françaises,** (*some*) *French ladies*

(For adjectives that precede the noun and for other details, see Appendix A, SECTION 78.)

Basic Vocabulary

mais *but*	**le mot** *word*
c'est-à-dire[1] *that is to say*	**noir** *black*
parce que *because*	**avant** *before*

Translate

1. un silence profond, un homme riche, les idées populaires, une femme distinguée, des fruits délicieux, les boulevards déserts, un chapeau rouge

---

[1] Often followed by **que** (**qu'**), *that.*

2. La France est située à l'extrême ouest de l'Europe occidentale.
3. N'aimez-vous pas le café noir?
4. La physique nucléaire est très intéressante.
5. J'aime la majesté des souffrances humaines. — Vigny
6. Avant la culture française, la culture allemande (*German*),
   la culture italienne, il y a la culture humaine. — Renan
7. L'art n'est pas une étude de la réalité positive; c'est une
   recherche de la vérité idéale. — George Sand
8.   Le français est une langue romane (*Romance*). Les
   langues romanes importantes sont: le français, l'italien,
   l'espagnol, le portugais et le roumain. Les langues romanes
   sont d'origine latine, c'est-à-dire qu'elles dérivent du latin,
5 directement ou indirectement. Les langues romanes ne sont
   pas difficiles; elles sont faciles.

   L'anglais n'est pas une langue romane parce qu'il ne dérive
   pas du latin. Il est d'origine anglo-saxonne ou germanique,
   mais un grand nombre de mots anglais sont d'origine latine,
10 et ressemblent aux mots français qui dérivent du latin.

   L'étude du français est très utile. On parle français en
   France, en Belgique, en Suisse, dans certaines parties de
   l'Afrique et de l'Indo-Chine, au Canada et en Louisiane.
   Le français est un instrument de culture et de diplomatie.
15 Les Français excellent en littérature, en philosophie, dans
   les sciences et dans beaucoup d'autres activités humaines.
   Il est très intéressant de lire Maupassant, Molière, Voltaire et d'autres auteurs dans la langue originale.

✄§ REVIEW 1

(SECTIONS 1–12)

Translate

1. Je cherche des cravates. Je cherche les cravates.
2. Voilà le père de Paul. Il entre dans le restaurant.
3. Êtes-vous de Madison? — Non, monsieur, je suis de New York.
4. Il y a trop de sel dans la soupe. Il y en a trop.
5. Combien de bananes désirez-vous? — Une douzaine.
6. Avez-vous beaucoup d'expérience, monsieur? — J'en ai un peu. (J'en ai peu. J'en ai assez. J'en ai beaucoup.)
7. As-tu du courage? N'as-tu pas de courage?
8. Il trouve les amis. Il trouve des amis.
9. Je n'ai que trois dollars. Combien en avez-vous? — J'en ai quatre.
10. La vie est très courte. Elle est très courte. Elle est trop courte.
11. Il passe l'automne en France. Il est à Paris.
12. Voici le costume de la jeune fille. Voici un costume de jeune fille.
13. Le professeur de français donne des ordres en français.

14. Les Martin[1] n'ont pas d'enfants. Les Lambert en ont cinq.
15. Quel est le sujet de cette (*this*) comédie?
16. Qui est cette jeune fille? Qui cherchez-vous? Qui regardez-vous? De qui parlez-vous?
17. L'homme admire le courage, la modestie et les autres vertus.
18. Le fils et la fille de monsieur Lenoir sont des pianistes distingués.
19. Il vient (*comes*) du café. Il travaille au café. Il retourne au café avant six heures (*o'clock*).
20. Deux des plus grands pays de l'Europe occidentale sont la France et l'Italie.
21. Les lettres sont dans la valise. La valise est sous la table.
22. Le petit garçon n'a que quatre ou cinq ans.
23. Un grand homme n'est pas nécessairement un homme grand. Voici une photographie de Napoléon. C'est un petit homme, mais c'était (*was*) un grand général.
24. Marie préfère du thé. Je désire du café noir.
25. N'admirez-vous pas les fleurs qui sont dans le petit vase?
26. Il cherche la femme. — Quelle femme? — La femme.
27. L'argent n'est pas absolument nécessaire au bonheur (*happiness*), mais il est souvent très utile.
28. Où sont les parents de la petite fille? — Ils sont au cinéma.
29. La jeune fille qui parle avec Hélène porte souvent de belles robes rouges.
30. D'ordinaire on aime les petits enfants.
31. Nous écoutons la musique. La musique est un art.
32. Le français est une langue romane, c'est-à-dire qu'il dérive du latin parlé (*spoken*).
33. Il y a tant de fruits sur la table. Il y a tant de pain (*bread*) sur la table.
34. Le professeur a assez de patience. Il en a assez. Il en a beaucoup.
35. Il parle de Louise. Il arrive de Chicago.

[1] Note that family names are not pluralized in French.

36. Les femmes aiment les compliments des hommes. Les hommes adorent la flatterie des femmes.
37. La propriété fondamentale des muscles est la contractivité.
38. Dans certaines prairies de l'Amérique on trouve des mustangs.
39. La femme qui aime est très intéressante.
40. Les analystes du cœur (*heart*) humain sont très souvent pessimistes.
41. Il est très pauvre. Il n'a ni argent ni amis.
42. La France est située dans l'ouest de l'Europe. Elle se trouve (*is*) à égale distance du pôle nord et de l'équateur. Son (*its*) extrémité sud est à la latitude de Détroit, Michigan, et son extrémité nord est à la latitude de la baie de Hudson.
43. Le monde est un musée de contradictions. — Remy de Gourmont
44. L'homme désire et la femme aime. — Michelet
45. Il y a des amis. Il n'y a pas de vrais (*true*) amis. — Renard
46. L'existence d'une opposition est la garantie essentielle des libertés. — Maurois
47. L'amour de la liberté est le sentiment du petit nombre (*of the few*). — Gaxotte
    (All quotations from Gaxotte reprinted by permission of LIBRAIRIE ARTHÈME FAYARD.)
48. O illustration! Invention moderne faite (*made*) pour déshonorer toute littérature! — Flaubert

⮜§ PART 2

13. PRESENT TENSE OF –IR (SECOND CONJUGATION) VERBS

There are two types of –IR verbs (besides a few irregular ones). The endings of the larger group are -is, -is, -it, -issons, -issez, -issent. These endings are attached to the *stem*:

agir *to act*

j' agis *I act* or *I am acting* or *I do act*
tu agis
il agit
nous agissons
vous agissez
ils agissent

Basic Vocabulary

réussir *to succeed*   bien *well, much*
rougir *to blush*   mal *badly*
choisir *to choose*   bon m., bonne f. *good*
remplir *to fill*   mauvais *bad*

28

Translate

1. il agit, elles agissent, nous réussissons, vous remplissez, ils ne remplissent pas, il remplit, ne rougit-elle pas? vous rougissez, vous ne choisissez pas, il choisit, ils ne rougissent pas, nous agissons, vous réussissez

2. je punis, elle ne punit pas, punissez-vous? ne punissez-vous pas? vous applaudissez, j'applaudis, elle punit, il ne punit pas, ils applaudissent, il finit, vous ne finissez pas, je finis, finis-tu? applaudis-tu? nous ne finissons pas

3. Souvent nous finissons avant six heures.

4. Elle choisit une belle robe bleue.

5. D'ordinaire les bons étudiants réussissent.

6. Je remplis un tube de mercure.

7. Choisissez-vous un chapeau? Ne choisissez-vous pas un chapeau?

8. Les enfants finissent le travail.

9. Elle remplit les bouteilles. Elle remplit des bouteilles.

10. (Note use of adjective as noun):
    a. D'ordinaire on applaudit les bons acteurs. On n'applaudit pas les mauvais.
    b. Je cherche ma (*my*) cravate. — La rouge ou la noire?
    c. J'ai de bons étudiants et de mauvais.

11. Elle rougit souvent. Rougissez-vous facilement?

12. Je choisis des fruits frais. J'en choisis. Il en choisit aussi.

13. Nous applaudissons la vertu, mais nous punissons le crime.

14. Les touristes remplissent la ville.

15. Il y a des jeunes filles qui rougissent peu, et il y en a qui ne rougissent jamais (*never*).

16. D'ordinaire ceux (*those*) qui travaillent bien réussissent.

17. La femme agit, l'homme réagit.

18. La force et la faiblesse de l'esprit (*mind*) sont mal nommées; elles ne sont en effet que la bonne ou la mauvaise disposition des organes du corps. — La Rochefoucauld

14. PRESENT TENSE OF –IR VERBS (CONTINUED)

Most **–IR** verbs are conjugated like **agir**. A smaller but important group of **–IR** verbs drops the final consonant of the *stem* throughout the singular, but it reappears in the plural:

sentir *to feel*

je sens, *I feel* or *I am feeling* or *I do feel*
tu sens
il sent
nous sentons
vous sentez
ils sentent

Basic Vocabulary

mentir *to lie*	**quand** *when*
sortir *to go out*	**maintenant** *now*
partir *to leave*	**ne . . . pas du tout** *not at all*
dormir *to sleep*	

Translate

1. il ment, ils ne mentent pas, vous sortez, je ne sors pas du tout, ils dorment, nous servons, je sers, elle sert, ils servent, ne servez-vous pas? sentent-ils?
2. Ne ment-il pas un peu?
3. Quand part-il? — Il part maintenant.
4. Dormez-vous bien? — Je dors mal. Je dors très mal. Je ne dors pas du tout.
5. Nous sortons un moment. Nous sortons tout de suite (immédiatement).
6. Partez-vous maintenant? — Je pars tout de suite.
7. On sert le dîner. Maintenant le dîner est servi.
8. Sort-il tout de suite? — Il sort dans un moment.

9. Il ne sent pas du tout les affronts.
10. Tu mens! — Non, maman, je ne mens pas du tout!
11. L'enfant dort profondément.
12. Nous sortons. Sort-elle aussi?
13. Quand sert-on le café? — Tout de suite.
14. Sentez-vous l'importance du problème?
15. Il y a des hommes qui ne sortent jamais (*never*) de l'enfance.
16. Sors-tu maintenant? — Non, papa, je ne sors pas. Je ne sors pas du tout.
17. Je sens qu'il y a un Dieu (*God*). — La Bruyère
18. C'est le cœur (*heart*) qui sent Dieu et non la raison. — Pascal

15. AGREEMENT, FORM OF ADJECTIVES

In French, adjectives agree in *gender* and *number* with the nouns or pronouns they modify. An adjective may have four, three, or two forms. (For other details about adjectives, see Appendix A, SECTION 78.)

1. Most adjectives have four forms:

m. sing.	**petit**	le petit garçon
m. plur.	**petits**	les petits garçons
f. sing.	**petite**	la petite fille
f. plur.	**petites**	les petites filles

2. Adjectives ending in **s** and **x** have three forms:

m. sing.	**curieux**	un homme curieux
m. plur.	**curieux**	des hommes curieux
f. sing.	**curieuse**	une femme curieuse
f. plur.	**curieuses**	des femmes curieuses

3. Adjectives ending in mute **e** (**e** without written accent mark) have only two forms:

m. sing. facile	un livre (*book*) facile
m. plur. faciles	des livres faciles
f. sing. facile	une leçon (*lesson*) facile
f. plur. faciles	des leçons faciles

Basic Vocabulary

l'élève m. or f. *pupil, student*   heureux *happy*
l'école f. *school*   vieux, vieil, vieille *old*

Translate

1. un livre intéressant, une leçon très courte, un bon élève, une bonne élève, de bons élèves, de grandes écoles, des fruits délicieux, un vieux monsieur, une vieille cathédrale, un vieil homme, une jeune fille heureuse, de longs voyages
2. L'homme n'est pas heureux.
3. Les vieilles femmes sont heureuses.
4. Les vieux livres sont intéressants.
5. Une petite école peut (*may*) être une bonne école.
6. Elle parle avec beaucoup de grâce sur un sujet frivole.
7. Les vieillards (*The aged*) sont la majesté du peuple. — Joubert

16. THE DEMONSTRATIVE ADJECTIVE

ce, cet[1] m. sing. *this, that*	ce garçon, cet homme
cette f. sing. *this, that*	cette jeune fille
ces m. or f. plur. *these, those*	ces garçons, ces jeunes filles

As ce, cet, cette may mean *this* or *that* and ces may mean *these* or *those*, clearness, emphasis, or contrast is indicated by

[1] This form is used before a word beginning with a vowel or a silent h.

adding -ci[1] (literally, *here*) and -là (literally, *there*) to the noun:

ce garçon-ci	*this boy*
ce garçon-là	*that boy*
ces garçons-ci	*these boys*
ces garçons-là	*those boys*

Translate

1. cet argent, cet hôtel, ce jeune homme, ce fruit-ci, ce pays-là, ces pays-là, cette ville, ces villes, cet argent-ci, cette enveloppe-ci, ce docteur-là, pour ce jeune homme-ci ou pour ce jeune homme-là? dans cette valise, avec cet homme-ci, sur ces chaises-là, sous cette table
2. Quelle jeune fille? — Cette jeune fille-ci.
3. Désirez-vous cette orange-ci ou cette banane-là?
4. Ces fruits sont délicieux.
5. Ce tigre est très féroce.
6. Ce lion-ci est majestueux.
7. Ces femmes-là sont un peu curieuses.
8. Il y a trop de sucre dans ce café. Il y en a peu (assez, beaucoup, tant).
9. N'y a-t-il pas trop de sel dans cette soupe?
10. Ces idées-là sont très dangereuses.
11. N'admirez-vous pas cette limousine?
12. Qui est cette femme qui parle beaucoup? — Quelle femme? — Cette femme-là.

Basic Vocabulary

actuel *current, of the present day*	**son, sa, ses** *his* or *her* or *its*
la loi *law*	**le temps** *time*
la moitié *half*	**très** *very*
par *by, through*	**veiller à** *to supervise*
sept *seven*	

[1] **Ci** is short for **ici,** *here.*

Translate

1. La France est une république. Elle est gouvernée par un président, un conseil des ministres ou cabinet et les deux chambres du pouvoir législatif. La Cinquième République, c'est-à-dire la république actuelle, date du cinq octobre 1958.
5   Le Parlement de la République Française comprend (*comprises*) l'Assemblée Nationale et le Sénat. Les députés de l'Assemblée Nationale sont élus au suffrage direct; le Sénat est élu au suffrage indirect. Le Parlement vote les lois du pays.

Le pouvoir exécutif est confié au Président de la Répu-
10 blique et au Conseil des Ministres. Élu pour sept ans par un collège électoral, le Président a des pouvoirs très étendus (*broad*). Il est le chef des armées. Il choisit le Premier Ministre et, sur la proposition (*recommendation*) du Premier Ministre, les autres membres du Conseil des Ministres. Il
15 nomme aussi le Président du Conseil Constitutionnel (ce conseil veille à la régularité de l'élection du Président de la République) et il peut (*can*) dissoudre l'Assemblée Nationale.

La Cinquième République maintient les Droits (*Rights*) de l'Homme et du Citoyen qui ont été (*were*) proclamés au
20 temps de la Révolution Française en 1789.

2. Les vertus qui forment le caractère d'un peuple sont souvent démenties (*subverted*) par les vices d'un particulier (*individual*). — Voltaire

3. La vie humaine n'est qu'une illusion perpétuelle. — Pascal

4. La noblesse a un air aisé,[1] simple, précis, naturel. — Vauvenargues

5. La patience et l'amour, ce[2] sont les deux moitiés du génie. — Anatole France

---

[1] Note that **ai** in French often gives *ea* in English: **raison, saison, clair, défaite.**

[2] See note 2, page 13.

17. PRESENT TENSE OF –RE (THIRD CONJUGATION) VERBS

The present tense endings of most **–RE** verbs are -s, -s, —, -ons, -ez, -ent. These endings are attached to the *stem:*

vend~~re~~ *to sell*

> je vends, *I sell* or *I am selling* or *I do sell*
> tu vends
> il vend
> nous vendons, *we sell* or *we are selling* or *we do sell*
> vous vendez
> ils vendent

Basic Vocabulary

attendre *to wait* or *to wait for*
perdre *to lose*
rendre *to render, to give back*
que *which, that, whom*

entendre *to hear* (figurative: *to understand*)
pourquoi *why*
toujours *always, still*

Translate

1. il attend, vous perdez, je rends, ils n'attendent pas, elle vend, j'entends, nous rendons, tu perds, nous attendons, attendez-vous? n'attendez-vous pas?
2. il répond, je réponds, il ne répond pas, répondez-vous? ne répondent-ils pas?
3. Nous perdons patience.
4. J'attends les enfants. J'attends des enfants.
5. Il perd toujours de l'argent.
6. Dort-il? — Il dort toujours.
7. Marie attend sa mère.

8. Pourquoi ne répond-il pas? — Il ne répond pas parce qu'il n'entend pas. Il n'entend pas parce qu'il n'écoute pas.
9. Robert vend son automobile.
10. Ils perdent beaucoup de temps. Ils en perdent beaucoup, je vous assure. Ils en perdent tant. Ils en perdent autant que Paul.
11. On vend des fruits dans la rue (*street*).
12. J'entends des cris dans la rue.
13. L'enfant rend l'argent à son père.
14. L'hypocrisie est un hommage que le vice rend à la vertu. — La Rochefoucauld
15. Le menuet, monsieur, c'est la reine (*queen*) des danses, et la danse des Reines, entendez-vous? — Maupassant

Compare the Endings of the Regular Verbs:

First conjugation	Second conjugation	Third conjugation	
Model: **trouver**	Model: **agir**	Model: **sentir**[1]	Model: **vendre**
-e	-is	-s	-s
-es	-is	-s	-s
-e	-it	-t	—
-ons	-issons	-ons	-ons
-ez	-issez	-ez	-ez
-ent	-issent	-ent	-ent

Basic Vocabulary

ancien (before a noun) *former*
l'eau f. *water*
méchant *wicked*
même (before a noun) *same*

parce que *because*
pire *worse*
la plupart *most, the majority*
les vacances f.pl. *vacation*

---

[1] Remember that the verbs conjugated like **sentir** (**mentir, partir, sortir, dormir, servir**) lose the final consonant of the stem in the singular only.

Translate

1. il sort, elle part, on sent, sert-il?, on dort, elle ment
2. le livre du professeur, des élèves intelligents, une bonne
   école, de longues leçons, le gouvernement actuel, l'ancien
   professeur de cette école
3. cette vie, ces villes, ce livre-ci, cet élève-là, à ce temps-là,
   pour ce mot-là, dans cette école-ci, ces mots-là
4. son ami, sa mère, son père, ses fils, son fils
5. quand je dors, maintenant je sors, il sent, ne ment-il pas?,
   je sers, ils finissent, il agit, elle rougit, ils réussissent
6. Ils sont heureux. Les vieilles femmes sont heureuses.
7. Beaucoup de mots français ressemblent aux mots anglais
   parce qu'ils sont de la même origine. Ils ont la même
   origine.
8. Les hommes d'action parlent peu, mais ils agissent.
9. La plupart des fleuves français sont navigables.
10. D'ordinaire (ordinairement) les étudiants attendent les
    vacances avec impatience.
11. En France la culture du tabac est surveillée par l'État qui
    en a le monopole.
12. Dans l'Assemblée Nationale on distingue une droite
    (*right*), un centre et une gauche. La droite est conserva-
    trice, le centre libéral et la gauche communiste ou, en
    anglais, *radical*. Le mot français «*radical*» n'a pas, en
    politique, le même sens que le mot anglais *radical*. Le
    parti radical et le parti radical-socialiste représentent l'idéal
    démocratique et égalitaire de la Révolution Française.
13. L'eau est un liquide transparent, inodore, incolore et
    insipide.
14. Les femmes qui ne travaillent pas sont la beauté du
    monde. — Remy de Gourmont
15. Le livre est l'instrument de culture par excellence. —
    Duhamel
16. L'asservissement (*enslavement*) de l'homme par la ma-
    chine est odieux. —Sartre

17. Les *Maximes* de M. de La Rochefoucauld sont les pro-
verbes des gens d'esprit (*intelligent people*). —Montesquieu
18. L'envie est un vice qui ne cause que des peines. —Joubert
19. La presse est, par excellence, l'instrument démocratique de
la liberté. — de Tocqueville
20. L'égalité est le principe des lois de Moïse (*Moses*). —
Vigny
21. Quand un acteur est mauvais, l'applaudissement le rend
pire. — Renard
22. — Pourquoi êtes-vous méchant?
— Parce que je n'ai pas la force d'être bon. — Renard

18. THE IMPERATIVE

Except for the fact that the familiar second person singular
of the first conjugation verbs drops the final s (but not before
y and en), the imperative of the regular verbs is the same as
the corresponding forms of the present indicative, without the
pronoun subjects. Observe the English translation of the imperatives:

trouve	*find*	**finis**	*finish*	**vends**	*sell*
trouvons	*let us find*	**finissons**	*let us finish*	**vendons**	*let us sell*
trouvez	*find*	**finissez**	*finish*	**vendez**	*sell*

The imperative forms of most irregular verbs are identical
with the corresponding forms of the present indicative. The
three important exceptions to this are the imperatives of **avoir**,
être, and **savoir** (*to know, to know how*). The exceptions are
as follows:

avoir		être		savoir	
aie	*have*	**sois**	*be*	**sache**	*know*
ayons	*let us have*	**soyons**	*let us be*	**sachons**	*let us know*
ayez	*have*	**soyez**	*be*	**sachez**	*know*

Translate

1. Sachez les verbes!
2. vous cherchez, cherchez, vous ne cherchez pas, ne cherchez pas, aimons, écoutez, partons, ne dormez pas, travaille, ne mentez pas, attendons
3. Répondez au[1] professeur. Répondez à[1] ses questions.
4. Attends ici. Attends les amis de Paul.
5. Soyez intelligent.
6. Attendez Marie.
7. Attendez, Marie.
8. Maintenant, servons le dîner.
9. Agissons avec prudence.
10. Ne punissez pas les enfants trop sévèrement.
11. Soyons attentifs.
12. Servez le café tout de suite.
13. Ne mens pas!
14. Ayez du courage.
15. Travaillons toujours.
16. Ne rougissez pas.
17. Rendez l'argent à l'enfant.
18. Remplissez ce vase-ci.
19. Ayons un peu de modestie.
20. Sachons être prudents.

19. REFLEXIVE VERBS

A verb is called reflexive when it has a pronoun object, direct or indirect, which refers to the subject (*I wash **myself**, she says **to herself***). In English very few verbs are used reflexively; in French, many are.

A French reflexive verb consists of two parts, the verb itself and a reflexive pronoun. In the simple tenses the verb is conjugated like any other verb (se **trouver**, first conjugation; se

[1] Notice that in French one answers *to* a person or *to* a question.

punir, second conjugation; **se rendre,** third conjugation). The reflexive pronoun takes the following forms: **me, te, se, nous, vous, se.**

Observe that **me, te, se** become **m', t',** and **s'** before a vowel (and also before silent **h**):

s'arrêter to stop

je m'arrête I stop or I am stopping or I do stop
tu t'arrêtes
il s'arrête
nous nous arrêtons
vous vous arrêtez
ils s'arrêtent

The reflexive pronoun always stands before the verb except in the imperative *affirmative* (affirmative command) when it follows and is attached to the verb by a hyphen.

Compare:

Ils *se* **flattent.**	*They flatter each other.*
V*ous* **aimez-vous?**	*Do you love each other?*
Ne *vous* **perdez pas!**	*Don't get lost (Don't lose yourself)!*

But:

Amusez-*vous!*	*Have a good time (Amuse yourself)!*
Arrêtons-*nous!*	*Let's stop!*

20. MEANINGS OF THE REFLEXIVE

1. The reflexive pronoun may mean *oneself* (*myself, yourself, himself, etc.*):

Elle s'accuse.	*She accuses herself.*
Il se punit.	*He punishes himself.*

2. The reflexive may have reciprocal force:

> **Ils s'accusent.**   *They accuse each other.*[1]
> **Ils se flattent.**   *They flatter each other.*[1]

3. The reflexive is sometimes used for the passive:

> **Ces livres se publient à Paris.**
> *These books are published in Paris.*

4. The reflexive pronoun is sometimes not translated at all:

> **Il se marie.**   *He gets married.*
> **Dépêchez-vous!**   *Hurry!*

Basic Vocabulary

se trouver *to be, to happen to be*
se sentir *to feel*
s'endormir *to fall asleep*
se tromper *to be mistaken* (lit., *to deceive oneself*)

fort *very* (lit., *strong*)
ceux m. pl. *those*
aussitôt *immediately*
apporter *to bring*

Translate

1. il s'endort, il dort, nous nous endormons, ils se trompent, vous vous trompez, vous ne vous trompez pas, ne vous trompez-vous pas? elle s'amuse

2. ils se parlent, ils s'aiment, vous aimez-vous? aimez-vous! ils s'endorment, elle s'arrête, vous arrêtez-vous? ne vous arrêtez pas!

---

[1] *Note:* Without sufficient context, each of these (and many other) reflexive constructions may have a double meaning. Whenever the context is not sufficiently clear, however, the writer will avoid ambiguity by adding a modifier:

> **Ils s'accusent** *l'un l'autre.*   *They accuse each other.*
> **Ils se flattent** *mutuellement.*   *They flatter each other.*
> **Ils se parlent** *l'un à l'autre.*   *They speak to each other.*

3. ils se détestent, elles s'endorment, vous vous excitez, ne vous excitez pas! ils se parlent, ne se parlent-ils pas?
4. Il se sent mal. Vous sentez-vous bien?
5. Paris se trouve en France. Où se trouve Waterloo?
6. Elle se regarde dans le miroir.
7. Ils se regardent furtivement.
8. Elle apporte la soupe. Elle porte une belle robe.
9. Garçon, apportez le journal.
10. Qui (_He who_) s'excuse, s'accuse.
11. Ils se dupent mutuellement.
12. Elles se flattent l'une l'autre.
13. Je me figure (je m'imagine) qu'ils s'aiment.
14. Vous amusez-vous? Amusez-vous!
15. Ils se donnent des rendez-vous.
16. Ces phrases sont fort simples.
17. Les vertus se perdent dans l'intérêt comme les fleuves (_rivers_) se perdent dans la mer. — La Rochefoucauld
18. Ceux qui s'appliquent trop aux petites choses (_things_) deviennent ordinairement incapables des grandes. — La Rochefoucauld
19. Tant de choses se perdent en ce voyage de la tête (_head_) à la main (_hand_)! — Daudet
20. Un professeur interroge un jour (_day_) un jeune homme, à un examen de baccalauréat, sur la physique. Il lui pose une question fort simple, mais le jeune homme s'embarrasse et ne sait pas répondre. Le professeur, impatienté, dit à un huissier (_usher_) qui se trouve là: «Apportez une botte de foin (_bundle of hay_) à monsieur pour son déjeuner (_lunch_).» Le jeune homme, irrité avec raison de l'affront public, dit aussitôt à l'huissier: «Apportez-en deux, nous déjeunons ensemble.»

Basic Vocabulary

seul _only, alone_	**le monde** _world_
lorsque _when_	**tout** _all, everything, every, the whole_
la chose _thing_	**tout le monde** _everyone_

Translate

1. tout l'argent, toute la vie, tous les fruits, toutes ces choses-là, cet homme seul, lorsqu'il part, ils sont seuls, toute la ville, lorsqu'elle sert le dîner
2. Pauvre homme! Il est tout seul au monde.
3. Tout le monde admire ces choses-là.
4. Tout est dangereux ici-bas (*here below*), et tout est nécessaire. — Voltaire
5. La vanité n'entend raison que lorsqu'elle est contente. — Joubert
6. Tout se résume (*is summed up*) dans la femme, qui est toute la nature. — Michelet
7. On trouve de tout dans ce monde, et la variété des combinaisons est inépuisable (*inexhaustible*). — Grimm
8. Les livres d'histoire qui ne mentent pas sont tous fort maussades (*dull*). — A. France
9. L'idée de l'ordre en toutes choses, c'est-à-dire de l'ordre littéraire, moral, politique et religieux, est la base de toute éducation. — Joubert
10. Seul le silence est grand; tout le reste est faiblesse. — Vigny

❧ REVIEW 2
(SECTIONS 13–20)

Translate

1. un mauvais professeur, le gouvernement actuel, les écoles primaires, des leçons difficiles, l'ancien maire de la ville, sans rougir, ces choses-là, dans ce monde-ci, un homme seul, il consent à tout

2. nous sortons, il ne ment pas, elle se punit, il sert, ils agissent, vous réussissez, choisissons, tu dors, tu t'endors, ils remplissent, il se sent mal, lorsque tu sors

3. sachons, je perds, attendez, nous entendons, ne vendons pas, ayez, écoute-t-elle toujours?

4. Soyons attentifs. Parlons peu mais parlons bien. Attendez un moment.

5. Ecoutez! J'entends parler dans le corridor. J'entends parler de Paul.

6. Visitez la ville. Regardez bien. Observez tout. Agissez tout de suite.

7. vous vous trompez fort, il se trompe, ne vous trompez pas, vous arrêtez-vous? ne vous arrêtez pas, endormez-vous, je pars, il dort, on sert, je sors, elle ment, on sent

44

8. Marie se sent mal. Elle ne dort pas du tout.
9. Maintenant finissons ce travail-ci.
10. Vous ne perdez pas de temps, monsieur!
11. Il vend son automobile et sa bicyclette.
12. Ne vous abandonnez pas au désespoir.
13. Cet enfant attend ses parents.
14. Je quitte la ville. Je pars sans regret.
15. Il agit avec beaucoup de prudence.
16. Tout le monde aime les petits enfants.
17. Les bons élèves réussissent aux examens.
18. D'ordinaire ceux qui travaillent réussissent.
19. Je sors un moment. Je sors tout de suite. Sortez-vous aussi?
20. C'est une histoire qui ne finit jamais (*never*).
21. C'est un homme qui aime s'écouter parler. Ayez de la patience. Soyez courageux. Sachez écouter.
22. Ils se réunissent souvent. Ils se réunissent le soir.
23. Lorsqu'il parle, il ment!
24. Pourquoi s'arrête-t-il toujours ici?
25. Vous vous trompez, monsieur. Cette leçon est fort simple.
26. Garçon, apportez du thé à mademoiselle.
27. Elles ne s'aiment pas. Elles se détestent. Elles se dupent l'une l'autre.
28. Ce médecin (docteur) est un très grand charlatan.
29. Écoute! J'entends les enfants. — Où sont-ils?
30. Il parle bien. Il choisit ses mots avec soin (*care*).
31. Ces vieux messieurs sont très heureux.
32. Messieurs, ayons un peu de patience.
33. Il a autant de pouvoir que son prédécesseur.
34. Nous sommes sûrs qu'il ne ment pas du tout.
35. Quand part le train? — Il part à trois heures et quart.
36. Où se trouve Trafalgar?
37. Je rends toujours l'argent que je dois (*owe*).
38. Le mot *paix* (*peace*), dit un vieil auteur, remplit la bouche (*mouth*).
39. La Seine divise Paris en deux parties. On appelle (*calls*)

la partie qui se trouve au sud du fleuve la Rive Gauche (*Left Bank*). La partie qui se trouve au nord du fleuve s'appelle la Rive Droite.

40. Tout est bien qui finit bien, dit Shakespeare.

41. Examinons tout mais ne nous appliquons pas trop aux petites choses.

42. Ce pays s'industrialise rapidement.

43. Souvent deux ou trois partis politiques dans l'Assemblée Nationale s'unissent contre le gouvernement.

44. Combien de galaxies nos télescopes observent-ils? Des millions, dit l'astronome, des dizaines de millions, des milliards! Les étoiles (*stars*), les galaxies évoluent constamment, se forment, disparaissent et se reforment en une immense évolution.

45. Pour l'historien, l'artiste et le touriste qui s'intéressent aux coutumes et aux traditions, et surtout pour les habitants de chaque région, la France se compose de provinces.

46. On affirme que l'adolescence se caractérise par la découverte du moi (*ego*) et se manifeste par une crise d'originalité.

47. Les extrêmes se touchent. — Proverbe

48. L'avarice se fortifie avec l'âge. — Montesquieu

49. Se contenter de peu d'argent, c'est aussi du talent. — Renard

50. La force qui gouverne le monde, c'est la Pensée. — Anatole France

ᛜ PART 3

21. THE POSSESSIVE ADJECTIVE

The possessive adjective has the following forms:

m. sing.	f. sing.	m. and f. plur.	
mon	ma	mes	*my*
ton	ta	tes	*your*
son	sa	ses	*his, her, its*
notre		nos	*our*
votre		vos	*your*
leur		leurs	*their*

Note:

The possessive adjective is always of the same *gender* and *number* as the noun it modifies:

Robert a *son* **livre.**   *Robert has* his *book.*
Marie a *son* **livre.**   *Mary has* her *book.*

47

There is one exception to this: The masculine **mon, ton, son** are used instead of **ma, ta, sa** before feminine words beginning with a vowel or silent **h.**

>**mon école** (f.) *my school*
>**ton histoire** (f.) *your story*

Translate

1. nos idées, vos projets, leur père, leurs enfants, votre expérience, nos roses, leurs oranges, ton argent, tes élèves, votre histoire, sans leur cousine
2. ses choses, notre pays, leur ville, ses parents, mon professeur, son école, son histoire, vos cousins, leur accident, sous votre table
3. N'avez-vous pas mon adresse à Chicago?
4. Il raconte son histoire à son fils.
5. Elles finissent leur travail.
6. Elle ne punit pas ses enfants.
7. Les amis de nos amis sont nos amis. Mais . . . qui sont vos amis?
8. Vous vous flattez, mon ami.
9. Il parle à son fils. Il parle à ses fils.
10. Elles passent tout leur temps à se regarder dans le miroir.
11. Pourquoi ne finis-tu pas ton travail?
12. Elle étudie sa leçon d'algèbre avec ses amies.
13. Nos plus sûrs protecteurs sont nos talents. — Vauvenargues
14. Je sens mon cœur (*heart*). — J.–J. Rousseau

Basic Vocabulary

l'être m. *being*	**presque** *almost*
le moyen *means*	**il s'agit de** *it is a question of,*
si *if*	*it concerns*
	aller (irr.) *to go*

Translate

1. presque toujours, presque tous les livres, ce moyen, par ce moyen-ci, cet être, ces êtres, il s'agit de cette affaire, presque tout le monde, le seul moyen
2. Il ne s'agit pas d'argent. Il s'agit d'être heureux.
3. En Amérique presque tous les parents obéissent à leurs enfants.
4. Paris a plus de sept millions d'habitants.
5. Si nous résistons à nos passions, c'est plus par leur faiblesse que par notre force. — La Rochefoucauld
6. L'art n'est qu'une sympathie.

C'est une sympathie dans le sens étymologique du mot. Nous voulons (*want*), avec d'autres êtres, sentir, souffrir, aimer, et nous allons au théâtre pour trouver, par ce moyen, l'exaltation de notre personnalité. La représentation des 5 actes d'autrui (*others*) évoque en nous, par la joie et la peine, une vie plus intense dans un plaisir d'orgueil (*pride*). — Brieux
7. *L'Abbé* — Je m'explique pourquoi Jésus maudissait (*cursed*) les riches!

Jean (*à l'abbé*) — Il ne s'agit pas de savoir s'il y a de l'argent bien ou mal gagné, mais de répondre à cette question: d'où sort la richesse? Vous prétendez que c'est des 5 mains de l'ouvrier (*worker*). Moi, je soutiens qu'avec ses appétits l'ouvrier produit plus de richesses qu'avec ses bras (*arms*). — *Le Repas du Lion*, Curel (Reprinted by permission of ÉDITIONS ALBIN MICHEL)
8. C'est la fantaisie passagère des hommes qui met (*sets*) le prix à ces choses frivoles . . . c'est elle qui excite l'industrie, entretient (*keeps up*) le goût, la circulation, et l'abondance. — Voltaire

22. PRESENT TENSE OF faire (*to do, to make*), aller (*to go*)

faire *to do, to make*		aller *to go*	
fais	faisons	vais	allons
fais	faites	vas	allez
fait	font	va	vont

Note:

1. **Faire** is one of the most common French verbs. It has two basic meanings, *to do*, and *to make*; but it is used in many idiomatic expressions with different meanings:

> **Quel temps fait-il?**
> *How is the weather?* or
> *What is the weather like?*
> **Il fait chaud (froid, etc.)**[1]
> *It is warm (cold, etc.) weather.*
> **Elle fait une promenade.**
> *She is taking a walk.*
> **Ces souliers me font mal.**
> *These shoes hurt me.*

(Another important construction of **faire** will be discussed later.)

2. **Aller** may signify motion or, when followed by an infinitive, futurity.

> (motion) **Je vais à l'école.**
> *I go to school.*
> (futurity) **Je vais étudier ce soir.**
> *I am going to study this evening.*

Aller may also mean *to be* (of health).

> **Comment allez-vous? — Je vais très bien, merci.**
> *How are you? — I am very well, thank you.*

[1] See Appendix A, SECTION 79 for a list of weather expressions.

Translate

1. je vais, nous faisons, faisons, il fait, elle va, allez, ils vont, elles font, faites, nous allons, nous allons partir, elle va rougir, ne faites pas, ils vont étudier
2. Quel temps fait-il? Fait-il froid ou fait-il frais?
3. Maintenant, faisons l'analyse de ce paragraphe.
4. Robert fait du latin. Quel professeur fait ce cours de latin?
5. Le garçon va étudier. Il va se préparer à l'examen.
6. Faites-vous des recherches? — Oui, je fais des recherches sur les vitamines.
7. Le bon citoyen fait son devoir (*duty*).
8. Ils ont du talent. Elle fait un poème. Il fait un tableau.
9. Il sort. Il va faire une promenade.
10. Elle part. Elle va faire un voyage.
11. Elle fait la charité aux pauvres.
12. Nous allons au cinéma. N'allez-vous pas en ville?
13. Paul étudie la musique. Il se fait musicien.
14. Ces pays-là se font la guerre (*war*).
15. Les bons professeurs font de bons élèves.
16. [Le héros[1] romantique]: Je suis une force qui va. — Hugo
17. Les coquettes se font honneur d'être jalouses de leurs amants pour cacher (*hide*) qu'elles sont envieuses des autres femmes. — La Rochefoucauld

Basic Vocabulary

l'ouvrage m. *work* (of art, literature)
la pensée *thought*
la terre *earth, land, world*

sinon (= si + non) *if not*
ne ... jamais (or jamais ... ne) *never*

---

[1] In a few words **h** is aspirate; that is to say, while not pronounced, it prevents both linking and elision.

Translate

1. cultiver la terre, sous la terre, la loi naturelle, la loi morale, la loi de la pesanteur (*gravity*)
2. Un projet de loi est une loi proposée ou, en anglais, un «bill».
3. Il ne va jamais au cinéma.
4. Cet homme est seul sur la terre.
5. Le luxe va rarement sans les sciences et les arts, et jamais ils ne vont sans lui (*it*). — J.–J. Rousseau
6. Qui dispense la réputation? Qui donne le respect et la vénération aux personnes, aux ouvrages, aux lois, aux grands, sinon cette faculté imaginante. Toutes les richesses de la terre sont insuffisantes sans son consentement . . . L'imagination dispose de tout; elle fait la beauté, la justice et le bonheur (*happiness*) qui est le tout du monde. — Pascal

23. SOME PRONOUN OBJECTS

The following are common direct object pronouns:

> **le** *him* or *it*
> **la** *her* or *it*
> **l'** *him* or *her* or *it*
> **les** *them*

The position of these pronouns is usually before the verb. They also precede **voici** and **voilà**. In the imperative *affirmative* (affirmative command) they follow the verb and are attached to it by a hyphen:

Je la vends.	*I sell it.*
Le fait-il?	*Is he doing it?*
Nous les admirons.	*We admire them.*
Les voici.	*Here they are* (literally, *see them here*).
(**Où est Marie?**) **La voilà.**	*There she is* (literally, *see her there*).

But:

Apportez-les. *Bring them.*
Remarquez-le bien. *Notice it well.*

Translate

1. admirons-le, elle le mérite, il la vend, nous les cherchons, nous en cherchons, les voilà, il le refuse, en voici, changez-les
2. Où est Paul? Elle l'attend.
3. Elle inspire du courage. On l'aime beaucoup.
4. Avez-vous mes livres? — Je ne les ai pas. Les voilà sur la chaise.
5. Finit-il son travail? — Il le fait maintenant.
6. Cherchez-vous la gloire? Ne la cherchez pas.
7. Il parle très bien. On l'écoute attentivement.
8. Où est le journal? Ah! le voilà.
9. Lorsqu'une pensée (*thought*) est trop faible pour porter une expression simple, c'est la marque de[1] la rejeter. — Vauvenargues
10. Il est aisé de critiquer un auteur, mais il est difficile de l'apprécier. — Vauvenargues

24. THE IMPERFECT TENSE

The endings of the imperfect are the same for *all* verbs. They are **-ais, -ais, -ait, -ions, -iez, -aient.** In the regular and most of the irregular verbs these endings are attached to the *stem*, that is to say, after the endings **-er, -ir, -re, -oir** have been dropped, thus:

trouver	avoir
trouvais	avais
trouvais	avais

---

[1] Certain expressions require **de** before the infinitive.

trouvait	avait
trouvions	avions
trouviez	aviez
trouvaient	avaient

In some cases the stem is irregular. Thus the stem of **être** is **ét** (**étais**, etc.), that of **faire** is **fais** (**faisais**, etc.), and that of the second conjugation verbs, model **agir**, adds **iss** before the endings (**réussissais, choisissais**, etc.).

The imperfect has three possible meanings. Thus **je donnais** may mean *I was giving* or *I used to give* or *I gave*, depending on the context.

Translate

1. je trouvais, vous agissiez, elle parlait, nous perdions, vous travailliez, ils attendaient, écoutait-il? il mentait, vous rougissiez, j'étais, nous avions, elle allait, vous faisiez
2. nous nous arrêtions, vous vous punissiez, elle se dépêchait, ils s'accusaient, nous nous aimions, vous vous sentiez mal, je me trompais
3. Elle trouvait souvent des fleurs sur la table.
4. Le chat était sous la chaise.
5. Ne parlait-elle pas avec son amie?
6. Nous faisions une promenade. Nous allions en ville.
7. Quel temps faisait-il? — Il faisait mauvais. Souvent il faisait froid.
8. Elle agissait toujours avec beaucoup de prudence.
9. Nous sortions très peu. Ils ne sortaient pas du tout.
10. Il étudiait la musique. Elle étudiait la peinture.
11. Le professeur X faisait le cours de logique.
12. Ces pays se faisaient la guerre.
13. Il le regardait furtivement.
14. Vous perdiez votre temps, mon ami.
15. Faisiez-vous des recherches? — J'en faisais. J'en faisais peu (assez, beaucoup, tant, trop, autant que les autres).

16. La petite fille n'avait que quatre ans. Le garçon en avait six.
17. Il faisait du bien à tout le monde, et tout le monde l'aimait.
18. Il s'endormait tout de suite, mais il dormait mal.
19. J'étais sûr qu'il se trompait.
20. Les juges avaient la patience de la certitude. — Lamartine

Basic Vocabulary

le frère *brother*	la fois *time* (but la foi *faith*)
le jour (la journée) *day*	environ *about*
	la santé *health*
enseigner *to teach*	attirer *to attract* (but s'attirer *to draw upon oneself*)
jouer *to play* (but jouir *to enjoy*)	

Translate

1. deux fois, trois fois, la première fois, cette fois, la foi, sa foi, un homme de foi, digne (*worthy*) de foi, digne de son professeur, (elle est) digne de sa mère
2. environ cinq ans, ce jour-là, toute la journée, six jours, tous les jours, un de ces jours, d'un jour à l'autre, de jour en jour
3. il attire, il s'attire, nous nous attirions, vous enseignez, vous enseigniez, il joue, ils jouent, nous jouons, nous jouions, il jouit, ils jouissent, vous jouissiez, jouissez-vous?
4. Il enseigne mais il n'est pas professeur.
5. Le garçon jouait toute la journée.
6. Elle enseignait le français. Enseigniez-vous la psychologie?
7. Il s'agit d'environ un million de dollars.
8. La beauté ne dure qu'un jour.
9. Cette comédie attire un grand public.
10. La fortune attire presque toujours l'envie.

11. Elle s'attire le blâme de tout le monde.

12. Cet auteur s'attire des critiques très sévères.

13. Les enfants aiment jouer à la balle. Ils aiment aussi jouer aux soldats.

14. Nous jouons au tennis.

15. Le jour il travaillait; le soir il jouait aux cartes.

16. Marie joue du piano, et son frère joue de la clarinette.

17. A ce moment-là il jouissait d'une bonne santé. Il jouissait de toutes ses facultés.

18. Vous jouissez d'une bonne réputation. Jouissez-vous aussi de la faveur de ce monsieur?

19. Il était très vieux, mais il travaillait tous les jours.

20. Le joueur de violon Salomons, qui donnait des leçons au roi d'Angleterre, George III, disait un jour à son auguste écolier: «Les joueurs de violon peuvent (*may*) se diviser en trois classes. A la première appartiennent ceux qui ne savent pas (*cannot*) jouer du tout; à la seconde ceux qui jouent mal, et à la troisième ceux qui jouent bien. Votre Majesté s'est déjà élevée (*has already risen*) jusqu'à la seconde classe.»

21.   Madame la baronne, qui pesait (*weighed*) environ trois cent cinquante (350) livres, s'attirait par là une très grande considération, et faisait les honneurs de la maison avec une dignité, qui la rendait encore plus respectable. Sa fille Cunégonde, âgée de dix-sept (17) ans, était haute en couleur (*rosy-cheeked*), fraîche, grasse, appétissante. Le fils du baron paraissait (*appeared*) en tout digne de son père.

Le précepteur Pangloss était l'oracle de la maison, et le petit Candide écoutait ses leçons avec toute la bonne foi de son âge et de son caractère. Pangloss enseignait la métaphysico-théologo-cosmolonigologie. Il prouvait admirablement qu'il n'y a pas d'effet sans cause, et que, dans ce meilleur (*best*) des mondes possibles, le château de monseigneur le baron était le plus beau des châteaux, et

madame la meilleure des baronnes possibles. — *Candide*,
Voltaire

25. COMPARISON OF ADJECTIVES AND ADVERBS

1. In French the comparison of adjectives and adverbs is
   expressed, with but few exceptions, by:

plus	(*more*)	
moins	(*less*)	before
aussi	(*as*)	
si	(*so*)	

   and   **que**   (*than, as*) after the adjective or adverb.

Marie est *plus* grande *que* sa mère.
Mary is taller than her mother.

Louise est *moins* jolie *que* Marie.
Louise is less pretty than (not as pretty as) Mary.

Paul est *aussi* riche *que* Robert.
Paul is as rich as Robert.

Hélène n'est pas *si* intelligente *que* Marie.
Helen is not so intelligent as Mary.

Ce garçon-ci parle français *plus* facilement *que* ce garçon-là.
This boy speaks French more easily than that boy.

2. The superlative of adjectives and adverbs is recognized
   by the definite article before the comparative form:

   C'est *la* plus grande ville du monde.
   It's the biggest city in the world.

   C'est le livre *le* plus intéressant de l'année.
   It's the most interesting book of the year.

   Note that if the adjective follows the noun (second example), the definite article occurs twice.

3. A few adjectives and adverbs are compared irregularly:

bon (*good*)	**meilleur** (*better*)	**le meilleur** (*best*)
bien (*well*)	**mieux** (*better*)	**le mieux** (*best*)

Translate

1. Paul est plus petit que son père.
2. Il parlait plus souvent que M. X.
3. Louis est aussi grand que Paul, mais Paul n'est pas si grand que Robert.
4. C'est la réunion la plus importante de l'année (*year*).
5. Paris est la ville la plus intéressante de la France.
6. Notre-Dame de Paris est une des églises les plus anciennes de l'Europe.
7. On se confie le plus souvent par vanité, par envie (*desire*) de parler, par le désir de s'attirer la confiance des autres, et pour faire un échange de secrets. — La Rochefoucauld
8. Le fruit du travail est le plus doux (*sweet*) des plaisirs. — Vauvenargues
9. L'homme n'est qu'un roseau (*reed*), le plus faible de la nature; mais c'est un roseau pensant (*thinking*). — Pascal
10. Les hommes les plus féroces s'amollissent (*soften*) devant la faiblesse, la beauté, l'enfance. — Lamartine
11. La nature est plus belle que l'art. — Buffon
12. Plus fait douceur (*gentleness*) que violence. — La Fontaine
13. Un sot (*fool*) trouve toujours un plus sot qui l'admire. — Boileau
14. Un sot savant est sot plus qu'un sot ignorant. — Molière
15. Les sots sont ici-bas pour nos menus plaisirs. — Gresset

Basic Vocabulary

le besoin *need*	**la famille** *family*
le devoir *duty*	**hier** *yesterday*
en effet *in fact*	

Translate

1. Je l'aime. Il les apporte. Vous le cherchez? Attendons-le. Elle le regarde. Donnez-la au garçon. Ne le faites pas.
2. il fait, font-ils? Elle va. Il va le chercher. Vous allez sortir?
3. Il fait frais. Il faisait chaud. Il fait l'homme d'importance!
4. leur moyen, mon livre, son crime, ton ami, leurs écoles, notre fils, votre vie, vos villes, en effet, faites attention
5. Quel temps fait-il? Il fait froid. Quel temps faisait-il hier? Il faisait beau.
6. Nous faisons une promenade. S'il fait beau, nous allons faire une promenade.
7. Ils vont en ville. Il s'agit d'une chose importante.
8. Le Nil est le plus long fleuve de l'Afrique.
9. L'enfant a presque trois ans.
10. Son caractère se reflète dans ses manières.
11. Si vous désirez parler bien, parlez lentement, observez votre vocabulaire, surveillez votre accent.
12. Les poètes se perdent dans les nuages (*clouds*).
13. Les autruches ont de belles plumes. Dans l'Afrique du Sud il y a des fermes où on élève (*raises*) des autruches pour avoir leur plumes.
14. Réfléchissez bien. Ne soyez pas trop sévère. Ayez pitié de l'enfant.
15. Je n'étais qu'un enfant obstiné et curieux. — Napoléon
16. Quelquefois j'enseigne toute la journée.
17. La meilleure définition est l'exemple. — Sainte-Beuve
18. L'idée est la plus haute forme de la réalité. — Lenormand
19. Alain, professeur de philosophie, proposait à ses élèves l'horreur de l'hypocrisie, le désir de comprendre (*to understand*) et le respect de l'adversaire.
20. La science n'a d'autre objet que la vérité. — Gaston Paris
21. La colère d'une femme n'est presque toujours que de l'amour déguisé. — Beaumarchais
22. On a grand besoin des autres. — Guéhenno
23. La muse de la famille, c'est la mère. — Arsène Houssaye

24. Les enfants ont plus besoin de modèles que de critiques.
—Joubert
25. Les femmes qui aiment pardonnent plus aisément les grandes indiscrétions que les petites infidélités. — La Rochefoucauld

26. PRESENT TENSE OF vouloir (*to wish*), pouvoir (*to be able*)

vouloir *to wish, want, desire*   pouvoir *to be able, can, may*

vouloir	pouvoir
veux	peux (or puis)
veux	peux
veut	peut
voulons	pouvons
voulez	pouvez
veulent	peuvent

Note:

Veuillez, a special form of the imperative of **vouloir,** means *please* or *have the kindness to:*

> **Veuillez vous asseoir.**
> *Please sit down (Be so kind as to sit down).*

Basic Vocabulary

vouloir bien *to be willing, to be kind enough to*

vouloir dire *to mean*
que? or **qu'est-ce que?** *what?*

Translate

1. je veux, il peut, vous ne pouvez pas, elle pouvait, nous pouvions, ils veulent, ils ne voulaient pas, je veux bien, puis-je? il voulait bien, nous pouvons, vous pouviez, je ne puis pas

2. Ceux qui veulent, peuvent.
3. Elle voulait sortir un instant.
4. Nous ne pouvons pas nous arrêter ici.
5. Il ne peut pas le faire tout seul. Voulez-vous bien l'aider?
   — Je veux bien.
6. Quel homme! il ne veut pas écouter sa femme!
7. Puis-je aller au cinéma maintenant?
8. Veuillez entrer, monsieur.
9. Que veut-il? Que veut-il dire?
10. Elle pouvait le faire.
11. Qu'est-ce que vous regardez?
12. Ne pouviez-vous pas le faire?
13. Monsieur X est avare; je veux dire qu'il est économe.
14. Quel est le proverbe anglais qui correspond à: V*ouloir, c'est pouvoir?*
15. (In this and the following sentence observe the word order but express in good English as usual): La mère de Paul veut-elle aller en ville?
16. Le meilleur des hommes peut-il se flatter à sa mort (*death*) de n'avoir jamais causé aucun mal (*any harm*)?
    — A. France

27. THE PAST PARTICIPLE

The past participle of the regular verbs ends in -é, -i, -u (**trouver**, *trouvé*; **agir**, *agi*; **sentir**, *senti*; **vendre**, *vendu*).

The past participle of a French verb has, literally, the same meaning as its English equivalent. Thus, **donné**, *given*; **senti**, *felt*; etc.

The past participles of the irregular verbs studied so far are:

avoir	eu	*had*
être	été	*been*
faire	fait	*made* or *done*

vouloir   voulu *wished* or *wanted*
pouloir   pu *been able*

In French, as in English, the past participle has two uses. It may be used as an adjective (agreeing like an adjective: **du temps perdu, une femme préoccupée,** etc.) and as part of the verb to make the compound tenses.

28. THE PAST INDEFINITE (*Compound Past*)

The past indefinite is a compound tense. It consists of the present of the auxiliary (**avoir** or **être**) plus the past participle:

> **j'ai donné**
> **tu as donné,** *etc.*
>
> **je suis arrivé** (or **arrivée**, if **je** is feminine)
> **tu es arrivé** (or **arrivée**, if **tu** is feminine), *etc.*
>
> **je me suis arrêté** (or **arrêtée**)
> **tu t'es arrêté** (or **arrêtée**), *etc.*

The past indefinite has three possible translations. For example, **j'ai donné** may be translated by *I have given* or *I gave* or *I did give*; **je suis arrivé** by *I have arrived* or *I arrived* or *I did arrive*; **je me suis arrêté,** *I have stopped* or *I stopped* or *I did stop*.

It follows from this that the right translation must be determined as usual by the context. For example, **J'ai quitté la ville** may be translated word for word, *I have left the city*; but **J'ai quitté la ville hier** cannot be so translated since *I have left the city yesterday* is not good English.

Translate

1. j'ai été, il a pu, nous avons fait, elle a eu, vous avez voulu, ils n'ont pas eu, tu as été, vous avez pu

2. il est sorti, Paul est parti, elle a dormi, vous avez perdu, avez-vous vendu? elle a menti, vous vous êtes dépêché, vous êtes-vous trompé? nous avons fini

3. Elle a rempli le vase.

4. Ils ont été à New York.

5. Vous avez pu le faire.

6. Ils ont fait leur possible.

7. Je suis certain qu'il a menti.

8. Elle a voulu aller à Chicago.

9. Combien de temps avez-vous passé à Paris?

10. En quel siècle a-t-on construit cette cathédrale?

11. Ils ont été punis de leur crime.

12. Tu n'as pas réussi à l'examen?

13. L'université de Paris a été fondée en l'an 1200.

14. La science française a rendu de grands services à l'humanité. Les découvertes scientifiques de Pasteur, par exemple, ont révolutionné la médecine, l'hygiène, l'agriculture. Il a trouvé le moyen de combattre les maladies contagieuses par la vaccination. Lavoisier et Berthelot sont 5 les fondateurs de la chimie moderne, Claude Bernard de la physiologie et de la médecine expérimentale. Henri Becquerel a découvert que l'uranium était radioactif. Laënnec a inventé le stéthoscope . . .

15. (Observe the agreement of the past participle):

   a. Marie est sortie. Où est-elle allée?

   b. Ils se sont trompés.

   c. Elles sont allées au cinéma.

   d. Elle s'est arrêtée ici.

   e. Nous nous sommes trouvés (or trouvées, depending on the gender of **nous**) seuls.

   f. Vous êtes entré (or entrés, or entrée, or entrées, depending on the gender and number of **vous**).

   g. Avez-vous trouvé les livres? Je les ai trouvés.

   h. A-t-il fini sa leçon? Il l'a finie.

i. Qui a choisi ces choses-là? C'est lui (*he*) qui les a choisi*es*.

Note:

The rules of the agreement of the past participle are as follows: When the auxiliary is **être** and the verb is not reflexive, the past participle agrees in *gender* and *number* with the subject. In all other cases the past participle agrees with the *preceding* direct object. (For more specific details on the formation of the compound tenses and the agreement of the past participle, see Appendix A, SECTION 80.)

Basic Vocabulary

quelque *some, any, a few*
quelquefois (= **quelque** + **fois**) *sometimes*
grâce à *thanks to*

comme *like, as, how*
utile *useful*
dont *whose, of whom, of which*

Note:

1. When spelled with an **s**, **quelque** usually means *a few* (**quelques amis** *a few friends*).
2. When introducing an exclamation, **comme** usually means *how* (**Comme il est gentil!** *How nice he is!*).

Translate

1. la lettre dont il parle, grâce à ce monsieur, quelque chose, quelque jour, quelques jours, comme il veut, le jeune homme dont nous parlions, très utile, grâce aux soins (*cares*) de leur mère, la phrase dont vous faites l'analyse
2. Faites comme vous voulez, monsieur.
3. Quelquefois elle va en ville avec sa mère.
4. Adressons-nous à quelque autre personne.
5. Quel beau jour! Comme il fait beau!
6. Elle rougit comme une pivoine (*peony*).

7. J'ai souffert souvent, je me suis trompé quelquefois, mais j'ai aimé. — Musset
8. Quelques crimes toujours précèdent les grands crimes. — Racine
9. Les passions sont les seuls orateurs qui persuadent toujours. Elles sont comme un art de la nature dont les règles sont infaillibles; et l'homme le plus simple qui a de la passion persuade mieux que le plus éloquent qui n'en a point (*at all*). — La Rochefoucauld
10. La cour (*royal court*) est comme un édifice bâti de marbre: je veux dire qu'elle est composée d'hommes fort durs, mais fort polis. — La Bruyère
11. La parole (*speech*) a été donnée à l'homme pour déguiser la pensée. — attributed to Talleyrand
12. Le programme de l'école primaire [du Saskatchewan], qui a été révisé en 1941, reflète les conceptions pédagogiques modernes. Il vise (*aims*) en effet à développer la vie physique, intellectuelle, affective, spirituelle et sociale de l'enfant. Il est assez souple pour donner aux maîtres toute latitude de l'adapter aux exigences actuelles. Grâce aux suggestions toujours utiles fournies par les inspecteurs et les maîtres, il est possible de renouveler constamment les manuels et le matériel didactique. — *Annuaire, 1946, p. 34.*

29. IRREGULAR PLURALS OF NOUNS AND ADJECTIVES

a. As stated in SECTION 15, adjectives ending in s and x remain unchanged in the *masculine* plural (**un livre français, des livres *français***). Nouns ending in s, x, and z remain unchanged in the plural, too.

le pays, les pays	*the country, the countries*
le choix, les choix	*the choice, the choices*
le nez, les nez	*the nose, the noses*

b. Except in rare cases, nouns and adjectives ending in **-au**, **-eu**, and **-ou** form their plurals by adding **x**.

le tableau, les tableaux	*the picture, the pictures*
le lieu, les lieux	*the place, the places*
le genou, les genoux	*the knee, the knees*
beau, beaux	*beautiful*

c. Nouns and adjectives ending in **-al** change **-al** to **-aux**.

le cheval, les chevaux[1]	*the horse, the horses*
national, nationaux	*national*

d. The plural of **œil** (*eye*) is **yeux**, the plural of **ciel** (*sky, heaven*) is **cieux**, and the plural of **travail** is **travaux**.

Translate

1. un nez rouge, leur choix, ce lieu, un grand pays, mes genoux, leurs chevaux, les cheveux de Paul, les journaux, ses gros yeux, grâce au ciel, dans l'œil, ces lieux-là
2. Les geais (*jays*) sont des oiseaux.
3. Les oiseaux ont les yeux plus grands que les autres animaux.
4. Quels beaux yeux noirs!
5. Les amis de Robert sont très loyaux.
6. Le pluriel de *travail* est *travaux*.
7. Il parlait à son fils.
8. Elle était avec ses fils.
9. Il la regardait dans les yeux.
10. Quelle est la couleur de ses yeux?
11. Le ciel était couvert (*overcast*).
12. Elle a choisi une bonne carrière. J'applaudis son choix.
13. Le mercure et le zinc sont des métaux.
14. Regarder quelqu'un sous le nez veut dire regarder une personne fixement.

---

[1] Do not confuse with **cheveux,** *hair.*

15. La Chine et le Japon sont des pays orientaux.
16. Napoléon et Wellington étaient de grands généraux.
17. L'absence est le plus grand des maux (*evils*). — La Fontaine
18. Les mortels sont égaux; leur masque est différent. — Voltaire

Basic Vocabulary

le fait *fact*
ne . . . plus *no more, no longer*
aujourd'hui *today*
servir de *to serve as* (se servir de *to use*)

il faut *one must, it is necessary*
appeler[1] *to call* (s'appeler[1] *to be called, be named*)

Translate

1. le fait est, les faits les plus importants sont, il appelle, il s'appelle, il faut partir, il faut le faire aujourd'hui, les enfants d'aujourd'hui, il sert, il se sert de
2. Je n'ai plus d'argent. Je n'en ai plus.
3. D'ordinaire il se sert de l'auto de son père. Aujourd'hui il s'est servi de mon auto.
4. Voici la salade; servez-vous, monsieur.
5. Voici les faits principaux que nous avons observés.
6. L'étude des cristaux s'appelle *cristallographie*.
7. Dans la vie il faut souvent choisir entre deux maux.
8. Il sert de guide aux touristes.
9. Je me sers d'animaux pour instruire les hommes. — La Fontaine

---

[1] In the present tense, **appeler** and its compounds double the l throughout the singular and in the third person plural.

Comment vous appelez-vous? —Je m'appelle Jean.
What is your name? —My name is John.

10. Il y a des lieux où il faut appeler Paris Paris, et d'autres où il faut l'appeler capitale du royaume. — Pascal

11. Tout sert de prétexte aux méchants (*wicked*). — Voltaire

12. Mais de toutes les vitamines, c'est le facteur D qui a donné lieu aux travaux les plus importants: disons (*let us say*) tout de suite qu'il représente le fixateur le plus actif du calcium.

5   L'épreuve de rachitisme expérimental va nous en montrer (*show us*) l'importance. Des rats, jeunes, sont placés dans l'obscurité et soumis à un régime alimentaire complet, — complet du point de vue énergétique, — complet du point de vue minéral: des sels de calcium sont large-

10   ment administrés; seul le phosphore en est éliminé.

Rapidement le rat, qui ne cesse de croître (*grow*), présente les symptômes classiques du rachitisme . . .

Du pouvoir calcifiant de la vitamine D, il n'est plus permis de douter aujourd'hui. On sait (*knows*) fort bien,

15   en effet, que si l'on[1] administre à un lapin adulte une dose élevée d'ergostérol irradié, on déclenche chez lui (*starts in him*), avec une rapidité et une intensité qui étonnent, un athérome artériel[2] des plus prononcés; des dépôts calcaires se forment dans l'aorte, dans les vaisseaux et

20   dans les reins (*kidneys*). — Léon Binet (Reprinted by permission of the author)

---

[1] **L'** before **on** (also before **un** and **une**) is not to be translated. It is used for the sound, to avoid pronouncing two vowels in succession.

[2] **Athérome arteriel,** *atheroma,* a fatty degeneration of the arterial walls.

✌§ REVIEW 3

(SECTIONS 21–29)

Translate

1. il avait, il y avait, il a eu, il y a eu, vous étiez, ils ont été, elle a fait, vous avez voulu, nous avons pu, ils font, je ne puis pas, il fait, il faut, il s'agissait de, il s'est agi de, elle va

2. ils jouent, ils jouissent, il attire, il s'attirait, elle ne portait pas, vous apportiez, elles se saluaient, ils se sont réunis, elle a réussi, vous vendiez, a-t-il fini? elle agissait, ils se sont trompés, il enseigne, il appelle, il s'appelle

3. le fait, s'il fait, très utile, grâce à leurs amis, tous les jours, tous les deux jours, il n'apporte plus, nous étions seuls, son mérite, leur travail

4. le livre dont il parle, le garçon dont nous parlions, presque sans le vouloir, ce moyen, comme l'autre fois, toute la journée, de beaux chevaux, ses beaux cheveux

5. nous sommes sortis, il est arrivé, elle a donné, nous avons fait, vous avez eu, ils ont pu, nous avons été, vous vous êtes arrêté, arrêtez-vous, ne vous arrêtez pas

6. Il joue bien. Il jouit du respect de ses amis.

7. Qu'est-ce qu'il veut? Que veut-il dire? Qu'est-ce qu'il veut faire? Qu'enseigne-t-il?

8. Les crocodiles étaient autrefois abondants dans toute la vallée du Nil. Les Égyptiens en faisaient des dieux (*gods*). On trouve à Memphis des temples où on les adorait.

9. Elle se sert de l'automobile de son fils.

10. On appelle les Japonais les premiers décorateurs du monde.

11. Quels sont les événements capitaux de l'histoire moderne?

12. Les autruches sont les plus grands des oiseaux (*birds*) actuels.

13. Les chevaux de course (*race*) sont souvent les descendants de chevaux arabes.

14. Quelle est la couleur naturelle de ses cheveux?

15. La forme la plus pure du carbone est le diamant, qui est un cristal. Le diamant est le plus brillant des minéraux. Les mines de diamants les plus célèbres se trouvent dans l'Afrique du Sud, aux Indes Occidentales et en Australie.

16. La France est le pays où l'on parle le plus librement (*freely*).

17. L'invention de l'imprimerie (*printing*) est le plus grand événement de l'histoire. C'est la révolution mère. — Hugo

18. Il appelle Henri. Il s'appelle Henri.

19. Examinons les faits. De quoi (*what*) s'agit-il? Il s'agit de bien enseigner.

20. Qu'est-ce qu'il fait? Que va-t-il faire aujourd'hui?

21. Il est trop vieux. Il ne travaille plus.

22. Puis-je sortir maintenant?

23. Avez-vous regardé les nouveaux chapeaux?

24. Quand il était jeune, il vendait des journaux.

25. Qui (*He who*) veut, peut.

26. Les astronomes se demandent s'il y a des êtres intelligents sur les autres planètes!

27. Elle ne voulait pas le dire.

28. Voici des fruits; veuillez vous servir, monsieur.
29. Il s'est servi de mon auto.
30. Voulez-vous bien servir le café maintenant?
31. Ils ne sortent jamais. Je ne les ai jamais vus en ville.
32. Il se sentait mal. Il dormait très peu.
33. Combien de temps a-t-il passé à Paris?
34. Paul fait des recherches sur les minéraux.
35. Il répétait: «Les faits sont les faits.» — Quels faits? Que voulait-il dire?
36. Quelquefois elle s'arrêtait devant le restaurant.
37. Pauline travaillait toute la journée.
38. D'ordinaire il faisait une promenade en automobile.
39. Nous trouvions toujours le temps de les aider.
40. Ils ont voulu partir de bonne heure (*early*).
41. Nous avons pu le faire sans l'aide de M. Lenoir.
42. Avez-vous dîné au restaurant? — Non, je ne suis pas sorti.
43. Il a consulté un homme de loi, c'est-à-dire qu'il a consulté un avocat.
44. Elle inspirait du courage à tout le monde, et tout le monde l'aimait.
45. Si elle passe devant un miroir, elle se regarde.
46. Monsieur le sénateur a présenté un projet de loi sur ce sujet-là.
47. Cet auteur attire l'attention du public, mais les critiques ne l'aiment pas.
48. Il a fait fortune. Il va en Europe presque tous les ans.
49. Quand je suis entré, ils jouaient aux cartes.
50. Il joue du piano. Il sert de maître à son fils.
51. Si tout n'est pas bien, tout est passable. — Voltaire
52. Nous avons tous assez de force pour supporter les maux (*misfortunes*) d'autrui. — La Rochefoucauld
53. Je chante (*sing*) les héros dont Ésope est le père. — La Fontaine
54. Le superflu, chose très nécessaire,
    A réuni l'un et l'autre hémisphère. — Voltaire

55. Quand l'homme descend, la femme monte. — Léon Daudet

56. Le Temps est le héros de mes livres. — Proust

57. La femme veut être aimée. — Michelet

58. La vérité désenchante toujours. L'art est là pour la falsifier. —Renard

59. Je dis: «Les livres anciens sont pour les auteurs; les nouveaux, pour les lecteurs.» — Montesquieu

❧ PART 4

30. SOME IRREGULARITIES OF savoir (*to know, to know how*), recevoir (*to receive*)

The present indicative of **savoir** and **recevoir** are as follows:

savoir *to know, to know how*	recevoir *to receive*
sais	reçois
sais	reçois
sait	reçoit
savons	recevons
savez	recevez
savent	reçoivent

The past participle of **savoir** is **su**, that of **recevoir** is **reçu**.

Note:

1. Like **recevoir** are conjugated:

   apercevoir *to perceive*
   s'apercevoir (**de**) *to notice, to become aware* (*of*)
   concevoir *to conceive*
   décevoir *to deceive, to disappoint*

2. The past indefinite of **savoir** very often has the meaning of *learned, found out:*

73

J'ai su qu'elle était malade.
I *learned* (or *found out*) *that she was sick.*

3. Remember that the imperative of **savoir** is irregular:
   sache, sachons, sachez.

Translate

1. vous savez, vous saviez, sait-il? je conçois, elle a reçu, ils
   savaient, ils reçoivent, ils s'aperçoivent, ne le décevez pas,
   nous nous apercevons, je reçois
2. Savez-vous son adresse? Sachez-la!
3. Madame ne reçoit pas aujourd'hui.
4. Concevez-vous des doutes sur ses intentions?
5. Elle recevait des lettres tous les jours.
6. C'est un homme qui «sait» tout. Il juge de tout et de tous.
7. Ces choses-là se conçoivent presque sans effort.
8. N'avez-vous pas reçu de lettres de Paul?
9. Nous avons conçu des soupçons contre cet homme.
10. Les soldats ont aperçu l'ennemi.
11. Paul a été reçu (a réussi) à l'examen.
12. Il s'est aperçu qu'il était temps de partir.
13. Cet événement a passé complètement inaperçu.
14. Les anciens savaient beaucoup, mais nous savons davan-
    tage (*more*).
15. Savez-vous jouer au football?
16. Je ne savais pas qu'il savait jouer du violon.
17. Saviez-vous qu'il était parti? — Je l'ai su ce matin.

Basic Vocabulary

gens m. pl. *people*	**ne . . . rien** (or **rien . . . ne**)
pendant *during*	*nothing, not anything*
après *after*	**ennuyer**[1] *to bore* (**s'ennuyer**
si *so*	*to get bored*)

[1] *Note:* For verbs ending in **-ayer, -oyer,** and **-uyer,** see Appendix D,
p. 264.

Translate

1. les jeunes gens, après tout, pendant le dîner, nous em-
   ployons, il emploie, il s'ennuie, elle ne fait rien, ils em-
   ploient
2. Elle reçoit toutes sortes de gens.
3. Nous n'avons rien à faire.
4. Tout le monde sait que Lafayette a aidé l'armée améri-
   caine pendant la guerre de l'Indépendance.
5. Il emploie toutes sortes de moyens pour arriver.
6. Entrez, monsieur! — Après vous, monsieur!
7. Les pauvres gens ne savent rien de certain.
8. Tout ce que je sais, dit Socrate, c'est que je ne sais rien.
9. Après nous le déluge. — Louis XV or Mme de Pompadour
10. L'éloquence continue ennuie. — Pascal
11. Rien n'est si contagieux que l'exemple. — La Roche-
    foucauld
12. On ne donne rien si libéralement que ses conseils. — La
    Rochefoucauld
13. Rien ne ressemble à un creux (*hollow*) comme une
    bouffissure (*swelling*). — Sainte-Beuve
14. Il n'y a que deux sortes de gens au monde: ceux qui ne
    savent pas s'ennuyer et qui ne sont rien, et ceux qui savent
    s'ennuyer et qui sont tout . . . après ceux qui savent
    ennuyer les autres. — *Le Monde où l'on s'ennuie*, Pailleron
    (Reprinted by permission of CALMANN-LÉVY, ÉDITEURS)

31. THE PLUPERFECT

In French as in English the pluperfect consists of the imperfect of the auxiliary (**avoir** or **être**) plus the past participle of
the main verb, thus:

> **j'avais trouvé**
> **tu avais trouvé,** *etc.*

j'étais allé (or allée)
tu étais allé (or allée), *etc.*

je m'étais arrêté (or arrêtée)
tu t'étais arrêté (or arrêtée), *etc.*

The French pluperfect, like the English pluperfect, has one translation, *had* plus the past participle (j'avais trouvé, *I had found*; vous étiez allé, *you had gone*; elle s'était arrêtée, *she had stopped*).

Translate

1. il avait été, elle avait eu, vous aviez fait, nous avions pu, elles avaient voulu, vous aviez reçu, j'avais su
2. j'étais allé, tu étais parti, il s'était arrêté, nous nous étions trompés, vous vous étiez dépêché
3. il avait attendu, il avait dormi, il s'était endormi, avait-il réussi? ils avaient trouvé, ils s'étaient trouvés
4. Elle avait reçu des roses.
5. Les aviez-vous invités?
6. J'avais travaillé toute la journée.
7. Ils s'étaient beaucoup aimés.
8. Nous étions sortis mais nous n'étions pas allés au cinéma.

Basic Vocabulary

plein *full*	alors *then, in that case*
dernier *last*	eh bien *well*

Translate

1. plein de gens, en plein air, en pleine saison, le dernier jour, la dernière lettre, la première fois
2. Eh bien, alors, en dernier ressort, nous pouvons inviter les Martin.
3. Les Français aiment la vie en plein air.

4. Quand je suis entré il était en plein travail.
5. Eh bien, qu'est-ce que nous allons faire aujourd'hui?
6. C'était en pleine Révolution, pendant la Terreur en 1793. Beaucoup de titres de noblesse avaient été détruits ou changés. Un homme est arrêté à l'une des portes de Paris.
> — Qui es-tu?
> — Je suis Monsieur le Marquis de Saint-Cyr.   5
> — Il n'y a plus de monsieur; nous sommes tous des citoyens.
> — Je suis le Marquis de Saint-Cyr.
> — Il n'y a plus de marquis.
> — Eh bien, je suis de Saint-Cyr.   10
> — Le «de» n'existe plus.
> — Alors, je m'appelle Saint-Cyr.
> — Il n'y a plus de saints.
> — Bien. Pour vous plaire, je m'appelle Cyr tout court.
> — Il n'y a plus de sire,[1] le dernier vient d'être (*has just* 15 *been*) guillotiné.

32. PERSONAL PRONOUN OBJECTS[2]

me *me, to me*	**nous** *us, to us*
te *you, to you*	**vous** *you, to you*
le (**l'**) *him, it*	**les** *them*
la (**l'**) *her, it*	**leur** (*to*) *them*
lui (*to*) *him,* (*to*) *her*	

The personal pronoun objects precede the verb (the auxiliary in compound tenses) except in the imperative *affirmative*, where they follow the verb and are attached to it by a hyphen:

Je le cherche.	*I am looking for him* (or *it*).
Je l'ai trouvé.	*I found him* (or *it*).

---

[1] Pronounced exactly like *Cyr.*

[2] For more specific details about the personal pronoun objects, see Appendix A, SECTION 81.

Elle l'avait fait.	*She had done it.*
Nous leur avons parlé.	*We spoke to them.*
Ne lui parlez pas.	*Don't talk to him* (or *to her*).
Ils nous les vendent.	*They sell them to us.*
Elle vous l'a apporté.	*She brought it to you.*

But:

Apportez-moi[1] le journal.	*Bring me the newspaper.*
Apportez-le-moi.	*Bring it to me.*
Vendez-les-leur.	*Sell them to them.*
Connais-toi.	*Know thyself.*

Translate

1. Donnez-moi la pipe.
2. Nous lui parlons souvent.
3. Te regarde-t-elle souvent?
4. Nous les avions choisis.
5. Elle vous avait cherché.
6. Attendez-moi.
7. Ne l'attendez pas.
8. Donnez-moi une cigarette.
9. Je leur avais donné de bons conseils.
10. Ne vous perdez pas, mes enfants.
11. Elle m'en apporte toujours.
12. Nous pouvons le faire facilement.
13. Vous m'ennuyez!
14. Nous pardonnons aisément à nos amis les défauts qui ne nous regardent (*concern*) pas. — La Rochefoucauld
15. Les hommes ne s'attachent point (*at all*) à nous en raison des services que nous leur rendons mais en raison de ceux qu'ils nous rendent. — Labiche et Martin

---

[1] Note that, when they follow the verb, **me, te** become **moi, toi.**

33. dire (*to tell, to say*) AND lire (*to read*)

Present indicative

dis	lis
dis	lis
dit	lit
disons	lisons
dites	lisez
disent	lisent

Imperfect

disais	lisais

Past participle

dit	lu

Translate

1. ils lisent, ils relisent, j'ai lu, il a relu, vous dites, disons, lisez, elle disait, vous lisiez, il a dit, il a contredit, elle a prédit, je prédis, il me contredit, lisaient-ils?
2. Que lisez-vous, Paul? — Je lis le journal du soir.
3. C'est un homme qui dit toujours du mal de quelqu'un.
4. Voici mon nouveau chapeau. Qu'en dites-vous?
5. Il dit qu'il a beaucoup lu, mais . . . a-t-il beaucoup réfléchi?
6. Que disiez-vous? — Je disais qu'il lisait pour s'endormir.
7. Les météorologistes prédisent le temps.
8. Avez-vous relu ce livre? Relisez-le!
9. Je vous l'ai dit et redit cent (100) fois!
10. Les astronomes disent que les comètes sont aussi nombreuses dans le ciel que les poissons (*fish*) dans la mer.

Basic Vocabulary

ceci *this* (**cela** *that*)	**peut-être** *perhaps*
car *for* (*because*)	**à la fois** *at the same time*

enfin *finally, in short*
comment *how* (Comment! What!)
plutôt *rather*
haut *high*

ne . . . guère *scarcely, hardly*
le coup *blow, stroke, thrust, gust*
surtout (= sur + tout) *especially, above all*

Note:

The preposition à has various meanings in addition to *to* and *at*. Observe the following:

l'homme *à* la barbe noire
the man with *the black beard*
la jeune fille *aux* cheveux blonds
the girl with *blond hair*
à pied on *foot*
Il demeure *à* Madison.   *He lives* in *Madison*.

Translate

1. un coup de pied, un coup de maître, un coup d'état, un coup de vent (*wind*), un coup d'épée, tout à coup, la petite fille aux yeux bleus, *L'Homme au masque de fer*, très haut, un homme haut placé, la haute finance, à pied
2. Je n'ai guère d'argent.
3. Faites ceci; ne faites pas cela.
4. Lisez à haute voix (*aloud*).
5. Ah! enfin ils sont partis!
6. Cela ne fait rien (*makes no difference*). Cela ne me fait rien.
7. C'est une jeune fille belle et intelligente à la fois.
8. Comment allez-vous[1] aujourd'hui? — Je vais[1] assez bien.
9. Comment vous appelez-vous?
10. Comment va-t-il? Comment vont les affaires?
11. Mais cela se lit dans vos yeux, mon ami.

---

[1] The verb **aller** means *to be* when referring to health.

12.   *Une affaire compliquée*
    — Hélène m'a dit que vous lui avez dit le secret que je
vous avais dit de ne pas lui dire!!
    — Oh! comment! je lui avais dit de ne pas vous le dire!
    — Eh bien, elle me l'a dit. Mais comme je lui ai dit que   5
je ne vous le dirais pas (*would not tell*) . . . ne le lui dites
pas!

13. Pangloss disait quelquefois à Candide: — Tous les événements sont enchaînés dans le meilleur des mondes possibles; car enfin si vous n'aviez pas été chassé d'un château
à grands coups de pied pour l'amour de Mlle Cunégonde,
si vous n'aviez pas été mis (*put*) à l'Inquisition, si vous   5
n'aviez pas couru (*crossed*) l'Amérique à pied, si vous
n'aviez pas donné un bon coup d'épée au baron, si vous
n'aviez pas perdu tous vos moutons (*sheep*) du bon pays
d'Eldorado, vous ne mangeriez pas (*would not eat*) ici
des cédrats confits (*preserved citron*) et des pistaches. —   10
Cela est bien dit, répondit Candide, mais il faut cultiver
notre jardin. — *Candide*, Voltaire

14.   La littérature française est riche, intéressante, variée.
Les grandes figures littéraires commencent à paraître au
seizième (*16th*) siècle, pendant la Renaissance. Vous avez
sans doute entendu parler de Rabelais. Rabelais a écrit
l'histoire de deux géants, *Gargantua* et *Pantagruel*. C'est   5
une histoire à la fois amusante et instructive. Michel de
Montaigne, également du seizième siècle, est le créateur
d'un genre littéraire, les *essais*. C'est un écrivain (*writer*)
très sage, très tolérant, un peu sceptique. Dans un de ses
Essais il traite de l'éducation des enfants. Voici l'idée prin- 10
cipale de cet essai: former la raison et le jugement plutôt
que la mémoire.
    On appelle le dix-septième siècle le Grand Siècle. C'est
le siècle de Louis XIV. Ce monarque a encouragé les arts et
la littérature. Sous son règne la littérature a été portée à   15
un très haut degré de perfection par une brillante série

d'écrivains, philosophes, poètes, auteurs de pensées péné-
trantes, maîtres dans l'art de l'éloquence, etc. Les grands
écrivains de ce siècle s'intéressent surtout à l'étude de la
20   psychologie de l'homme; c'est-à-dire qu'ils cherchent à
découvrir les secrets ressorts (*springs*) des passions humaines. Un des plus célèbres est Molière, le plus grand
génie comique de la France et peut-être du monde entier.
Il a ridiculisé tous les défauts de ses contemporains, mais
25   comme l'homme ne change guère de siècle en siècle, ses
œuvres (*works*) sont toujours modernes. Sainte-Beuve, célèbre critique du dix-neuvième siècle, a dit de Molière: «Tout
homme qui sait lire est un lecteur (*reader*) de plus pour
Molière.»

34. voir (*to see*) AND croire (*to believe*)

Present indicative

vois	crois
vois	crois
voit	croit
voyons	croyons
voyez	croyez
voient	croient

Imperfect

voyais	croyais

Past participle

vu	cru

Translate

1. vous voyez, voyons, ils croyaient, il a vu, il a revu, nous
   prévoyons, il avait prévu, nous voyions, vous voyiez, croit-il?
   je l'avais cru

2. Voyons, qu'est-ce que vous avez perdu?
3. Il ne se croyait pas capable de faire cela.
4. Comment peut-on voir les étoiles (*stars*) en plein jour?
5. Nous nous voyions souvent à l'université.
6. On croit quelquefois haïr (*to hate*) la flatterie, mais on ne hait que la manière de flatter. — La Rochefoucauld
7. Voir le monde, c'est juger les juges. — Joubert

Basic Vocabulary

vrai *true*
loin *far*
chaque *each*
ce qui *what, that which*

ce que (**ce qu'**) *what, that which*
pourtant *nevertheless, however, yet*

Translate

1. très loin, loin d'ici, un vrai ami, ce qu'il dit, ce que vous faites, ce qui m'intéresse, chaque fois, chaque garçon
2. C'est vrai: loin des yeux, loin du cœur (*heart*).
3. Les vrais amis sont bien rares.
4. Pourtant cela n'est pas vrai.
5. Nous sommes bien loin de faire cela.
6. Croyez-vous tout ce que vous lisez dans les livres?
7. Il y a des personnes qui croient tout ce qu'ils lisent.
8. Il est très riche et pourtant il travaille tous les jours.
9. Je vous assure que monsieur X ne voit pas plus loin que le bout (*end*) de son nez.
10. Le vrai moyen d'être trompé c'est de se croire plus fin que les autres. — La Rochefoucauld
11. Rien n'est beau que (*except*) le vrai. — Boileau
12. La majesté de la justice réside tout entière dans chaque sentence rendue par le juge au nom du peuple souverain. — A. France

13. Ce qui n'est pas clair n'est pas français. —Rivarol
14. *Roger* — Oh! je crois pourtant . . .
    La [vieille] Duchesse — Ah! tu crois! . . . tu crois! . . .
    Quand il s'agit d'accuser une femme, tu entends! . . . une
    femme! il ne suffit pas de croire, il faut voir, et quand on a
5   vu et bien vu et revu . . . Alors! oh! alors . . . Eh bien!
    alors ce n'est pas encore (*yet*) vrai! Ah! (*à part*) C'est
    toujours bon à dire aux jeunes gens ces choses-là! — *Le
    Monde où l'on s'ennuie*, Pailleron (Reprinted by permis-
    sion of CALMANN-LÉVY, ÉDITEURS)

35. THE PAST DEFINITE

The endings of the past definite of the verbs of the first conjugation (-**er** verbs) are:

-ai, -as, -a, -âmes, -âtes, -èrent

Those of the second and third conjugations are:

-is, -is, -it, -îmes, -îtes, -irent

They are attached to the stem, that is to say, after the -**er**, -**ir**,
and -**re** endings have been dropped, thus:

trouv~~er~~	fin~~ir~~	attend~~re~~
trouvai	finis	attendis
trouvas	finis	attendis
trouva	finit	attendit
trouvâmes	finîmes	attendîmes
trouvâtes	finîtes	attendîtes
trouvèrent	finirent	attendirent

The characteristic vowel of the past definite of irregular
verbs is usually **u** or **i**:

avoir	être	faire	dire
eus	fus	fis	dis
eus	fus	fis	dis
eut	fut	fit	dit
eûmes	fûmes	fîmes	dîmes
eûtes	fûtes	fîtes	dîtes
eurent	furent	firent	dirent

Similarly: je pus, je crus, je vis, je voulus, je reçus, je sus.
The past definite is translated by the English simple past.
Thus, **je trouvai** means I *found*; **nous eûmes**, *we had*; etc.

Note:

1. The past definite, like the past indefinite (SECTION 30, note 2), of **savoir** has often the meaning of *learned, found out:*

   Il sut que son ami était malade.
   He learned (found out) that his friend was ill.

2. The past definite of the auxiliary (**avoir** or **être**) plus the past participle of the main verb form a compound tense called *past anterior.* The past anterior, like the pluperfect, denotes what "had happened," but is rarely used except after such conjunctions as **lorsque, quand, aussitôt que** (*as soon as*), **dès que** (*as soon as*), and a few others:

   Aussitôt qu'il eut fîni son dîner, il partit.
   As soon as he had finished his dinner, he left.

Translate

1. il eut, il y eut, je crus, ils firent, vous fûtes, ils purent, nous eûmes, elles reçurent, tu vis, lorsqu'il eut vendu l'auto, quand il fut parti

2. nous trouvâmes, ils finirent, elle vendit, elles se trompèrent, nous nous trouvâmes, il écouta, elle servit, vous dîtes, elle s'endormit, nous l'entendîmes parler, elle m'apporta
3. Elle voulut aller en ville tout de suite.
4. Je sentis l'importance de l'affaire.
5. Il s'attira des critiques sévères.
6. Quelques jours après, son père sut qu'il s'était marié.
7. (Note the cardinal number where we would use the ordinal):
    a. Colomb découvrit l'Amérique le douze octobre 1492.
    b. L'Amérique déclara son indépendance le quatre juillet 1776.

Basic Vocabulary

ne . . . ni . . . ni *neither . . . nor*   partout *everywhere*
ne . . . point *not at all*

Translate

1. Je l'ai cherché partout, mais je ne l'ai pas trouvé.
2. Nous n'avons vu ni Robert ni son père.
3.   François 1ᵉʳ [1515] encouragea des savants, mais qui ne furent que savants; il eut des architectes, mais il n'eut ni des Michel-Ange ni des Palladio; il voulut en vain établir des écoles de peinture; les peintres italiens qu'il appela ne

5   firent point d'élèves français. Quelques épigrammes et quelques contes libres (*licentious tales*) composaient toute notre poésie; Rabelais était notre seul livre de prose à la mode du temps de Henri II.

     En un mot, les Italiens seuls avaient tout, si vous en

10   exceptez la musique, qui n'était pas encore perfectionnée, et la philosophie expérimentale, inconnue (*unknown*) partout également, et qu'enfin Galilée fit connaître (*known*).

     Le quatrième [grand] siècle est celui (*the one*) qu'on nomme le siècle de Louis XIV: et c'est peut-être celui

15   des quatre qui approche le plus de la perfection. Enrichi

des découvertes des trois autres, il a plus fait, en certains genres, que les trois ensemble. Tous les arts, à la vérité, n'ont point été poussés plus loin que sous les Médicis, sous les Auguste et les Alexandre; mais la raison humaine en général s'est perfectionnée. — *Le Siècle de Louis XIV*, 20 Voltaire

Basic Vocabulary

ainsi *thus*	**la sottise** *foolishness*
montrer *to show*	**se soucier de** *to care for*
de nouveau *again*	**le travail** (**-aux**) *work*
plusieurs *several*	**vers** *about, toward*
rester *to stay*	

Translate

1. le sait-il? elle reçoit, Paul recevait, j'ai su, j'avais reçu, nous recevons, elle concevait, restez ici, montrez-le-lui
2. plusieurs personnes, vers la fin du livre, de nouveau, la sottise qu'il avait faite, elle ne se soucie de rien, ainsi vous partez?
3. Elle le leur vend. Les avez-vous trouvés? Montrez-les-moi. Donnez-lui-en. Ils ne veulent pas nous les vendre. Il y en avait.
4. on dit, on disait, j'ai vu, elles lisent, nous croyons, nous croyions, vous disiez?
5. le voyez-vous? nous le croyons, vous avez cru, vous aviez cru, elle avait lu, il nous voit, ils vous croient
6. Voyons, qu'est-ce qu'il vous a dit?
7. Vous l'a-t-il dit? — Enfin, il me l'a dit!
8. Maintenant faisons ceci, ou plutôt faisons cela.
9. Je n'ai guère d'argent. En avez-vous?
10. Qu'est-ce qu'il vous disait? — Il nous disait que cela n'est pas vrai.
11. haut, plus haut, le plus haut, de loin, à la fois, je le vois, je ne le crois guère

12. Tout ce qu'on fait et tout ce qu'on dit produisent cet effet cumulatif qu'on appelle caractère ou personnalité.
13. Il n'y a pas d'effet sans cause, dit l'historien.
14. D'ordinaire les visiteurs des musées passent trop vite (rapidement), regardent mal et ne voient rien.
15. On donne de rudes coups aux démocraties mais on ne les casse (*break*) pas.
16. Tout ce qui est dans la nature est dans l'art. — Hugo
17. Dans le monde, disait M . . ., vous avez trois sortes d'amis: vos amis qui vous aiment; vos amis qui ne se soucient pas de vous et vos amis qui vous haïssent (*hate*). — Chamfort
18. Aimez, aimez, tout le reste n'est rien. — La Fontaine
19. Nous ne sommes que ce que nous cherchons et ne cherchons que ce que nous sommes. —Maeterlinck
20. Pour le journaliste, tout ce qui est probable est vrai. — Balzac
21. On ne possède bien que ce que l'on partage (*shares*). — Paul Géraldy
22. Les fables ne sont pas ce qu'elles semblent être. — La Fontaine
23. Cela fait plaisir à mes amis, que tout le monde ne m'aime pas. — Renard

36. THE VARIABLE DEMONSTRATIVE celui

Singular	Plural
m. **celui** *the one*	**ceux** *the ones*
f. **celle** *the one*	**celles** *the ones*
m. **celui-ci** *this one, the latter*	**ceux-ci** *these, the latter*
f. **celle-ci** *this one, the latter*	**celles-ci** *these, the latter*
m. **celui-là** *that one, the former*	**ceux-là** *those, the former*
f. **celle-là** *that one, the former*	**celles-là** *those, the former*

Observe the forms which mean *the former* and *the latter*. In reading or writing, *the latter* is closer to your eyes or pen and hence the -ci (literally, *here*); conversely, *the former* is farther and hence the -là (literally, *there*).

The various forms of **celui** agree in gender and number with the antecedent (a preceding noun or pronoun). Their uses, though sufficiently illustrated by the following exercises, are specifically stated in Appendix A, SECTION 82.

Translate

1. Celui qui cherche, trouve.
2. Voici deux cravates; voulez-vous celle-ci ou celle-là?
3. (Note the order): Molière et La Fontaine étaient très célèbres; *celui-ci* était fabuliste, *celui-là*, auteur dramatique.
4. D'ordinaire ceux qui travaillent réussissent.
5. Les tableaux de ce peintre sont très célèbres; n'admirez-vous pas celui-ci?
6. Ces robes-ci sont plus belles que celles-là.
7. Ceux qui passaient s'arrêtaient pour regarder.
8. Voyons, aimez-vous mieux ce chapeau-ci ou celui-là?
9. Nous ne trouvons guère de gens de bon sens que ceux qui sont de notre avis (*opinion*). — La Rochefoucauld
10. La plus perdue de toutes les journées est celle où l'on n'a pas ri (*laughed*). — Chamfort
11. L'intérêt parle toutes sortes de langues, et joue toutes sortes de personnages, même (*even*) celui de désintéressé. — La Rochefoucauld
12. A propos de gens taciturnes, il y en a de bien plus singuliers que ceux-là, et qui ont un talent bien extraordinaire. Ce[1] sont ceux qui savent parler sans rien dire, et qui amusent une conversation pendant deux heures de temps sans qu'il soit possible de les déceler (*without it being possible to find them out*) . . .

    Ces sortes de gens sont adorés des femmes. — Montesquieu

---

[1] **Ce** (**c'**) before the forms of **être** may mean *he, she, they, it, that, these, those,* and, for good English, may sometimes be omitted.

37. THE FUTURE AND FUTURE PERFECT

The endings of the future are the same for *all* verbs. They are -ai, -as, -a, -ons, -ez, -ont. In the regular verbs and in many irregular verbs these endings are attached to the infinitive. In the case of -re verbs, however, the final e is dropped before the endings are added:

trouver	finir	vendr~~e~~
trouverai	finirai	vendrai
trouveras	finiras	vendras
trouvera	finira	vendra
trouverons	finirons	vendrons
trouverez	finirez	vendrez
trouveront	finiront	vendront

Note:

The endings -ai, -as, -a are the same as those of the past definite of -er verbs. Remember, however, that the past definite endings are attached to the *stem*.

The infinitive of most irregular verbs is easily recognized from its future form. The following, however, should be learned:

FUTURE	INFINITIVE
(first person sing.)	
aurai	avoir
serai	être
irai	aller
ferai	faire
pourrai	pouvoir
voudrai	vouloir
saurai	savoir
verrai	voir

In French as in English the future translates *shall* or *will* plus the meaning of the verb (**Je finirai**, I *shall finish* or I *will finish*, depending on the context; **j'aurai**, I *shall have* or I *will have*, etc.). The future perfect, which is formed by adding the past participle of the main verb to the auxiliary (**avoir** or **être**), translates *shall have* or *will have*, plus the past participle of the main verb (**j'aurai trouvé**, I *shall have found* or I *will have found*; **je serai allé**, I *shall have gone* or I *will have gone*, etc.).

Note:

1. In translating from French into English, the future and future perfect offer no difficulty. The following, however, should be noted: the future perfect may denote conjecture or probability:

   Il se sera trompé.   *He must have been mistaken.*
   Elle sera partie.   *She must have left.*

2. For another use of the future, see Appendix A, SECTION 83.

Translate

1. il aura, il y aura, j'irai, elles verront, vous ferez, pourra-t-il? nous serons, elle dira, vous lirez, nous recevrons, vous ne voudrez pas, nous saurons, ils iront, il s'arrêtera, elle donnera, elle donna
2. j'aurai donné, il sera sorti, tu te seras arrêté, nous nous serons perdus, ils n'auront pas fini, madame aura reçu, je l'aurai fait, nous serons partis, ils se seront dupés, il aura été
3. Je ne vous attendrai plus.
4. Je suis certain qu'elle l'aura fait.
5. Nous verrons cela.
6. Où est-il? Sera-t-il parti?
7. Il y a dans la Révolution Française un caractère *satanique*

qui la distingue de tout ce qu'on a vu et peut-être de tout
ce qu'on verra. — Joseph de Maistre

8. La principale fonction de l'Académie sera de travailler avec
tout le soin (*care*) et toute la diligence possibles à donner
des règles certaines à notre langue et à la rendre pure, élo-
quente et capable de traiter les arts et les sciences. — *Statuts
de l'Académie Française*

Basic Vocabulary

le soleil *sun*	**déjà** *already*
l'étoile f. *star*	**encore** *yet, still, again*
actuellement *at present*	**tel** *such* (**tel que** *such as*)
désormais *henceforth, from then on, from now on*	**tout à fait** *quite, entirely, completely*
le bruit *noise*	**donc** *then, therefore*
l'arbre m. *tree*	**le printemps** *spring*
l'avenir m. *future*	**l'hiver** m. *winter*

Translate

1. une telle personne, de telles choses, par de tels moyens,
   monsieur un tel, tant d'étoiles, il fait du soleil, tout à fait
   satisfait, il est déjà parti, cherchez encore

2. Désormais vous ne ferez que ce qu'on vous ordonne.

3. Le soleil s'était déjà levé (*risen*).

4. Je ne l'ai pas encore vu.

5. Je pense (*think*), donc je suis, dit le philosophe.

6. Il se déclara tout à fait satisfait.

7. Telle est son humeur (*disposition*).

8. Ainsi vous partez aujourd'hui?

9. Cette *fin du monde* s'opérera sans bruit, sans révolution,
   sans cataclysme. Comme l'arbre perd les feuilles, au souffle
   (*puff*) du vent d'automne, ainsi la terre verra successive-
   ment tomber et périr tous ses enfants, et dans cet hiver

éternel, qui l'enveloppera désormais, elle ne pourra plus 5
espérer (*hope for*) un nouveau soleil, ni un nouveau printemps.

Elle s'effacera de l'histoire des mondes. Les millions ou
les milliards de siècles qu'elle aura vécu (*lived*) seront
comme un jour. Ce ne sera qu'un détail tout à fait insi- 10
gnifiant dans l'ensemble de l'univers. Actuellement la terre
n'est qu'un point invisible pour toutes les étoiles, car, à cette
distance, elle est perdue par son infinie petitesse dans le
voisinage (*vicinity*) du soleil, qui de loin n'est lui-même
(*itself*) qu'une petite étoile. Dans l'avenir, quand la fin des 15
choses arrivera sur cette terre, l'événement passera donc
complètement inaperçu dans l'univers.

Les étoiles continueront de briller après l'extinction de
notre soleil, comme elles brillaient déjà avant son existence.
Lorsqu'il n'y aura plus sur la terre un seul regard pour les 20
contempler, les constellations régneront encore dans l'étendue comme elles régnaient avant l'apparition de l'homme
sur ce petit globule. Il y a des étoiles dont la lumière (*light*)
emploie des millions d'années pour nous arriver . . . Le
rayon lumineux que nous recevons actuellement est donc 25
parti de leur sein (*bosom, midst*) avant l'époque de l'apparition de l'homme sur la terre. L'univers est si immense
qu'il paraît (*seems*) immuable, et que la durée d'une
planète telle que la terre n'est qu'un chapitre, moins que
cela, une phrase, moins encore, un mot de son histoire. — 30
La Fin du monde, Flammarion

✺ REVIEW 4

(SECTIONS 30–37)

Translate

1. je sais, ils savent, ils sauront, elle recevra, vous fûtes, nous fîmes, ils dirent, nous vendrons, j'avais lu, il était parti, ils trouveront, ils trouvèrent, elle avait dit, quand il eut parlé, vous serez, nous savions, il fut, ils furent, ils seront
2. tant de gens, après le dîner, en plein air, ce qu'il dit, ce que vous faites, ce qui nous ennuyait, un coup d'état, pendant la guerre
3. elle s'arrêtera, elle s'arrêta, ils voyaient, il eut, il y eut, croyez-moi, nous croyons, ils s'ennuyaient, ils avaient reçu, je l'avais cru, je l'aurai cru, il sera parti, ils se seront trompés, il voit, il vit
4. le dernier livre, la dernière fois, de telle manière, loin de la ville, la dame au chapeau rouge, ceci ou cela, celui-ci ou celui-là?
5. il y a, il y avait, il y eut, il y aura, il eut, il aura, aura-t-il? il donna, il donnera, ils écoutèrent, ils écouteront, je fus, ils eurent

94

6. j'irai, tu feras, il pourra, nous verrons, vous voudrez, ils seront, je saurai, ils furent, ils feront, vous saurez

7. Je crois qu'il est déjà parti.

8. Ils sont heureux et pourtant ils ne sont pas riches.

9. Ainsi va le monde. Ceux qui cherchent, trouvent.

10. Il est tout à fait content de votre travail.

11. Ce jeune homme ira très loin. On le dit partout.

12. Il est actif et intelligent à la fois.

13. Je sais ce que je sais.

14. Saviez-vous qu'il était à Paris?

15. On dit qu'il remplit de hautes fonctions.

16. Nous ne croyons pas tout ce que nous lisons.

17. Il emploie 200 hommes. Il les paie bien. Ils l'aiment. Ils font leur possible.

18. Sait-il jouer du piano?

19. Nous avions cru qu'elle était malade.

20. Comment avait-il pu le faire?

21. Maintenant je vais vous expliquer comment ce livre a été conçu.

22. Je ne lui avais donné que des conseils utiles.

23. Où est-il? Nous le cherchons partout.

24. Je reçois une lettre tous les jours. Quelquefois j'en reçois deux.

25. Pardon, Madame. Il y a un monsieur à la porte qui demande si Madame peut le recevoir.

26. Comment allez-vous, mon ami?

27. Il lit toujours pendant le dîner.

28. Elle ne sait pas jouer au bridge.

29. Nous avions conçu de grands projets. Naturellement nous avons été déçus.

30. On m'a dit qu'elle était sortie.

31. Un beau visage est le plus beau de tous les spectacles, et l'harmonie la plus douce (*sweet*) est le son de la voix (*voice*) de celle que l'on aime. — La Bruyère

32. La vérité est en marche et rien ne l'arrêtera. — Zola

33. Toute la métaphysique contient deux choses: la première tout ce que les hommes savent; la seconde ce qu'ils ne sauront jamais. — Voltaire

34. Le malheur (*misfortune*) est notre plus grand maître et notre meilleur ami. C'est lui (*it*) qui nous enseigne le sens de la vie. Mesdames, quand vous souffrirez, vous saurez ce qu'il faut savoir, vous croirez ce qu'il faut croire, vous ferez ce qu'il faut faire, vous serez ce qu'il faut être. — Anatole France, *Le Lys Rouge*

35. La contemplation est la forme la plus haute de l'activité. — Jouhandeau

36. Rien n'est plus limité que le plaisir et le vice. — Proust

37. L'homme accepte de moins en moins ses limites. — Cocteau

38. Sans la liberté, nous ne réaliserons rien. — Camus

39. On parle toujours mal quand on n'a rien à dire. — Voltaire

40. J'ai toujours eu de l'aversion pour les gens qui ne font jamais de fautes. — J.-J. Rousseau

41. Oui, je porte ma décoration. Il faut avoir le courage de ses faiblesses. — Renard

42. L'homme croit qu'il choisit la femme, mais c'est presque toujours la femme qui choisit l'homme. C'est la femme qui choisit l'homme qui la choisira. — Paul Géraldy, *L'Homme et l'Amour* (*Hachette*)

43. Le grand ennemi, «l'ennemi n° 1», du monde moderne, c'est l'ennui. — Teilhard de Chardin, *L'Avenir de l'homme* (Editions du Seuil)

44. Quel psychiatre délivrera la France du complexe révolutionnaire? — Gaxotte

45. Vers 1770, quand Lavoisier commença à s'attacher particulièrement à la Chimie, cette science était en plein développement, mais elle restait dominée par des idées anciennes comme celle des quatre éléments fondamentaux (eau, air, terre et feu) ou par des théories plus récentes,

mais fallacieuses, comme celle du phlogistique.[1] D'éminents chimistes venaient de (*had just*) montrer qu'il n'y avait pas un seul gaz, l'air, mais bien plusieurs sortes de gaz différents. Ainsi Black avait décelé (*revealed*) l'existence de l'acide carbonique et Cavendish celle de l'hydrogène. 10 Priestley dans une série d'armirables travaux caractérisait l'oxygène et toute une suite d'autres gaz. Mais toutes les conceptions théoriques sur la nature de ces gaz et sur les réactions chimiques qu'ils pouvaient exercer sur d'autres corps étaient viciées par des idées préconçus, inexactes, 15 dérivant[2] en particulier de la célèbre théorie du phlogisti- que . . . [En 1789 Lavoisier publia son célèbre *Traité de Chimie*] qui eut un immense succès et servit de base à l'enseignement de la nouvelle science dans tous les pays du monde. — Louis de Broglie, *Savants et découvertes* (Re- 20 printed by permission of ÉDITIONS ALBIN MICHEL)

[1] *Phlogiston* (a fluid which, according to the old chemists, was responsible for producing combustion.)

[2] The verb ending **-ant** has an English equivalent in *-ing*.

✒ PART 5

38. connaître (*to know, to be acquainted with*) AND
mettre (*to put*)

Present

connais	mets
connais	mets
connaît	met
connaissons	mettons
connaissez	mettez
connaissent	mettent

Imperfect

connaissais   (regular)

Past participle

connu	mis

Note:

1. Henceforth the past definite of irregular verbs will not
   be given if it has the usual characteristic vowel **u** or **i**
   (SECTION 35).

2. Like **connaître** are conjugated **paraître** (**apparaître**), *to appear,* and compounds of **connaître** and **paraître**.
3. Like **mettre** are conjugated:

> **remettre,** *to postpone, to hand to*
> **soumettre,** *to submit*

and other compounds of **mettre**.
4. Observe the very common idiom **se mettre à,** *to begin.*
5. Observe the difference between **connaître** and **savoir**. **Savoir** means *to know* facts, *to know* a thing as a fact (also *to know how*). **Connaître** means *to know* in the sense of *to be acquainted with, to be familiar with.* **Je le sais,** therefore, can only mean *I know it.* (*I know him* would be **Je le connais** because one can only be acquainted with a person!)

Translate

1. il connaît, nous connaissons, elle avait connu, il connut, nous connûmes, je connais, mettez, ne mettons pas, vous avez mis, nous aurons mis, nous connaîtrons, vous connaissiez, vous reconnaissez, il mit, ils mirent, ils mettront
2. j'admets, vous promettez, il transmet, je n'omets pas, je n'ai pas omis, nous avons commis, tu as compromis, ils promettront, il remettra, ils disparaissent, vous le reconnaîtrez, il soumet, il soumit
3. Je le connaissais quand il était pauvre.
4. Une petite île parut à l'horizon.
5. Ses amis ont disparu avec son argent.
6. Cela paraît et disparaît.
7. Il a été reconnu tout de suite.
8. Je reconnais que je me suis trompé et je vous demande pardon.
9. Il n'a pas commis d'erreur, mais il omet toujours de faire quelque chose.

10. Voyons, que vous a-t-il promis?
11. Il ne faut pas (*One must not*) omettre de faire ce qu'on a promis.
12. Il vous promettra tout ce que vous voudrez.
13. Vous admettrez cela, j'espère (*hope*). — Je ne l'admets pas.
14. Je me soumets à votre volonté.
15. Eh bien, avez-vous soumis vos projets au directeur?
16. J'admets que cela est vrai.
17. Quel crime avait-il commis?
18. Avez-vous mis l'annonce dans les journaux?
19. Alors, remettons cela à demain (*tomorrow*).
20. Il se met à parler. Il se mit à travailler.
21. Il s'est mis à la petite table et s'est mis à écrire (*write*).
22. Nous nous mettrons en route de bonne heure (*early*).
23. Le train se remit en marche.
24. Ce livre a paru la semaine dernière (passée).
25. Il paraît qu'il arrive ce soir (*evening*).
26. Le connaissez-vous? — Je le connais très bien.
27. Un sourire (*smile*) parut sur ses lèvres (*lips*).
28. Il est soumis à sa femme comme tous les bons maris.
29. Admettez-le, monsieur, vous êtes soumis à votre femme.
30. Le cœur (*heart*) a ses raisons que la raison ne connaît point; on le sait en mille (1.000) choses. — Pascal
31. La liberté est le droit (*right*) de faire tout ce que les lois permettent. — Montesquieu
32. La tragédie m'a paru souvent l'école de la grandeur de l'âme (*soul*). — Voltaire
33. Le style n'est que l'ordre et le mouvement qu'on met dans ses pensées — Buffon
34. Les saints ont des plaisirs que je ne connais pas. — Voltaire
35. L'arbre se connaît au fruit. — Proverbe

39. THE POSSESSIVE PRONOUN

The possessive pronoun has the following forms:

Singular	Plural	Meaning
le mien m.	**les miens** m.	
la mienne f.	**les miennes** f.	*mine*
le tien m.	**les tiens** m.	
la tienne f.	**les tiennes** f.	*yours*
le sien m.	**les siens** m.	
la sienne f.	**les siennes** f.	*his, hers, its*
le nôtre m.		
la nôtre f.	**les nôtres** m. f.	*ours*
le vôtre m.		
la vôtre f.	**les vôtres** m. f.	*yours*
le leur m.		
la leur f.	**les leurs** m. f.	*theirs*

Note:

1. The definite article is part of the possessive pronoun.
2. The definite articles **le** and **les** combine with **à** and **de** as usual. (**J'ai besoin de mon argent et** *du* **vôtre,** *I need my money and yours.*)
3. Possessive pronouns, like possessive adjectives, agree in *gender* and *number* with the object possessed. Thus, in the example given above, **argent** is masculine singular; therefore, **du vôtre.**
4. Possession is also expressed after the verb **être** by the preposition **à** plus a noun or a disjunctive pronoun. (Most of the disjunctive pronouns are easily recognizable but they will all be given later):

> **Ce livre est à moi.**
> *This book is mine.*

Ce chapeau-là est à ma mère.
That hat is my mother's.

Translate

1. Ne portez pas ma cravate. Cherchez la vôtre.
2. Il a écrit (*wrote*) à son père et au mien.
3. Voici la tienne. As-tu vu la mienne?
4. J'ai invité mes amis, les vôtres et les leurs.
5. Certaines personnes ne savent pas la différence entre le mien et le tien.
6. La plupart des écoles européennes sont différentes des nôtres.
7. Ceci est à nous, cela est à vous.
8. A qui est ce livre? Est-il à toi, Paul? — Non, maman, il n'est pas à moi.
9. A qui est tout cela? — A Marie.
10. Cet homme professe des opinions politiques qui sont tout à fait les miennes.
11. Tout homme, a dit Benjamin Franklin, a deux patries, la sienne et la France.
12. Chaque siècle a son esprit qui le caractérise. L'esprit du nôtre semble être celui de la liberté. — Diderot
13. Ce qui rend la vanité des autres insupportable, c'est qu'elle blesse (*wounds*) la nôtre. — La Rochefoucauld

Basic Vocabulary

parmi *among*   **le roman** *novel*
l'enfance f. *childhood*   **à l'étranger** *abroad*

Translate

La littérature française du dix-septième (*17th*) siècle étudie l'homme, cherche à découvrir ses défauts et ses qualités, essaie d'expliquer sa conduite dans la société. Les écrivains de ce temps ne cherchent pas les défauts de l'organisation sociale.

La littérature du dix-huitième siècle, au contraire, cherche les défauts des institutions sociales. Parmi les grands écrivains du dix-huitième siècle les plus célèbres sont Voltaire et Rousseau. Voltaire a écrit des contes (*short stories*), des essais philosophiques, des pièces de théâtre, des poèmes, etc. Dans toutes ses œuvres il attaque l'intolérance et l'injustice sociale. Jean-Jacques Rousseau est plus révolutionnaire que Voltaire. Il a formulé la doctrine de la souveraineté du peuple. Ses idées sur l'éducation des enfants sont très modernes. «L'humanité, dit-il, a sa place dans l'ordre des choses; l'enfance a la sienne dans l'ordre de la vie humaine: il faut considérer l'homme dans l'homme, et l'enfant dans l'enfant.»

La littérature du dix-neuvième siècle et la littérature contemporaine sont très riches, très variées. Il y a de grands écrivains dans tous les genres: poésie, théâtre, roman, conte, critique, histoire, philosophie, etc. Nous n'allons pas mentionner ici tous les écrivains célèbres. Un des plus illustres est Victor Hugo. A l'étranger on connaît le romancier (*Les Misérables, Notre-Dame de Paris*) mais en France on le considère surtout comme un très grand poète.

40. CONDITIONAL AND CONDITIONAL PERFECT

The endings of the conditional are the same for *all* verbs: They are -ais, -ais, -ait, -ions, -iez, -aient. These endings, you will notice, are the same as those of the imperfect; but whereas in the imperfect the endings are attached to the *stem*, in the conditional (as in the future) they are attached to the infinitive:

trouver	agir	vendr~~e~~
trouverais	agirais	vendrais
trouverais	agirais	vendrais
trouverait	agirait	vendrait
trouverions	agirions	vendrions
trouveriez	agiriez	vendriez
trouveraient	agiraient	vendraient

Note:

1. The future and the conditional have the same stem. This is true of all verbs, regular and irregular.

2. Of all the irregular verbs you have had, only those listed in SECTION 37 need be carefully noted; the others are easily recognized (**dirai, dirais** from **dire; mettrai, mettrais** from **mettre,** *etc.*).

The conditional translates *should* or *would* plus the meaning of the verb (**j'aurais,** *I should have;* **il serait,** *he would be,* etc.).

The conditional perfect, which consists of the conditional of the auxiliary (**avoir** or **être**) and the past participle of the main verb, translates *should have* or *would have* plus the meaning of the main verb (**j'aurais fini,** *I should have finished;* **vous seriez parti,** *you would have left,* etc.).

Note:

1. The conditional is occasionally used to denote possibility or conjecture:

   Serait-il possible?
   Can (could) it be?
   Serait-elle malade?
   Can she be ill? Is it possible that she is ill?

2. After **quand, quand même,** or **que** the conditional denotes concession:

   Quand (même) je le verrais, je ne le croirais pas.
   Even if (even though) I saw it, I would not believe it.
   Je l'oublierais qu'il me le rappellerait.
   If I forgot it (even though I forgot it, were I to forget it), he would remind me of it.

3. The conditional of **savoir** used with **ne** has the idiomatic meaning of *cannot:*

Je ne saurais le lui dire.
I cannot tell him (*it to him*).

Translate

1. il connaîtra, il connaîtrait, il connaissait, je lirais, je lisais, vous mettiez, ils auraient, il aura, il y aura, il aurait, il y aurait, vous seriez, vous étiez, il voudra, tu voudrais, elle voyait, elle verrait, nous croyions, nous croirions
2. nous ferions, nous aurions fait, vous pourriez, ils iraient, ils seraient, ils sauraient, tu aurais trouvé, elle aurait attendu, vous seriez allé, nous nous serions arrêtés, je travaillerais, j'aurais travaillé
3. J'irais au café.
4. Elle pourrait le faire.
5. Ils voudraient venir.
6. Elle voudra tout savoir.
7. Iraient-ils au théâtre ou au concert?
8. Sauriez-vous me dire pourquoi il n'est pas encore venu?
9. Je ne saurais le croire.
10. Pourquoi n'est-il pas encore arrivé? Aurait-il dormi trop tard?
11. Quand il me l'aurait dit, je ne l'aurais pas cru.
12. Ce serait si beau de distribuer de la justice adoucie par de la bonté (*tempered by kindness*). — Brieux
13. Si nous étions riches, nous serions nos valets pour être nos maîtres. — J.–J. Rousseau
14. Je voudrais bien savoir si la grande règle (*rule*) de toutes les règles n'est pas de plaire. — Molière
15. Si les hommes ne se flattaient pas les uns les autres, il n'y aurait guère de société. — Vauvenargues
16. L'histoire est un roman qui a été, le roman est de l'histoire qui aurait pu être. — Goncourt brothers
17. Un homme d'esprit serait souvent bien embarrassé sans la compagnie des sots. — La Rochefoucauld

41. même

The adjective **même** varies in meaning according to its position in the sentence.

1. After (attached to) a disjunctive pronoun, it means *self*.

> **elle-même,** *herself*
> **lui-même,** *himself*

2. Between the definite article and the noun, it means *same*.

> **C'est la même chose.**
> *It's the same thing.*

3. After the noun, it means *very, self*.

> **Ces enfants mêmes savent cela.**
> *These very children know that.*

Note:

Même may be used as a pronoun and as an adverb:

a. As a pronoun, it means *same*.

> **Ceux-ci sont les mêmes.**   *These are the same.*

b. As an adverb, it means *even*.

> **Elle l'a même insulté.**
> *She even insulted him.*
> **Même les enfants savent cela.**
> *Even the children know that.*

Translate

1. Est-ce que ceux-là sont les mêmes?
2. Quand part-il? — Il part ce soir même.
3. Ce sont des animaux de la même espèce.
4. Ce monsieur a une très bonne opinion de lui-même.

5. A Paris, a dit Mark Twain, même les enfants parlent français.
6. Le monde récompense plus souvent les apparences du mérite que le mérite même. — La Rochefoucauld
7. Le peuple (*common people*) et les grands n'ont ni les mêmes vertus ni les mêmes vices. — Vauvenargues
8. Le style est l'homme même. — Buffon
9. Partout où il y a des hommes il y a des sottises (*foolish things*), et les mêmes sottises. — Fontenelle

Basic Vocabulary

il suffit *it is enough, it suffices*
pour que *so that, in order that*
puis *then, next*
le cerveau *brain*

l'huile f. *oil*
baisser *to go down*
le souvenir *memory, remembrance*
tout aussi bien *quite as much*

Translate

1. Il est facile de donner la preuve de l'existence de la **Vitamine A** ou **Vitamine de croissance** (*growth*). Des rats, âgés d'un mois, sont soumis à un régime complet dans lequel (*which*) l'aliment gras est représenté par l'huile d'olive. On pèse (*weighs*) l'animal tous les cinq jours et on note très 5 rapidement un arrêt de la croissance: la courbe de poids (*weight*) cesse de s'élever, elle décrit un plateau, puis baisse et l'animal succomberait si l'on continuait le même régime. Il suffit alors de remplacer l'huile d'olive par du beurre (en quantité équivalente du point de vue énergétique), pour que la courbe de poids reprenne son ascension normale et régulière.
—Léon Binet (Reprinted by permission of the author)

2. D'une manière générale, la reproduction des souvenirs paraît dépendre de l'état de la circulation. C'est une question . . . sur laquelle (*which*) on n'a que des données (*data*) très

incomplètes. Une première difficulté vient (*comes*) de la
5 rapidité des phénomènes et de leurs perpétuels changements.
Une seconde vient de leur complexité: la reproduction, en
effet, ne dépend pas seulement de la circulation générale;
elle dépend de la circulation particulière du cerveau, et il est
vraisemblable (*likely*) qu'il y a même dans celle-ci des varia-
10 tions locales qui ont une grande influence. Ce n'est pas tout:
il y a à tenir compte de la *qualité* du sang tout aussi bien que
de sa quantité. — *Les Maladies de la mémoire*, Th. Ribot
(Reprinted by permission of the PRESSES UNIVERSITAIRES DE
FRANCE)

42. écrire (*to write*) AND prendre (*to take*)

Present indicative

écris	prends
écris	prends
écrit	prend
écrivons	prenons
écrivez	prenez
écrivent	prennent

Imperfect

écrivais	prenais

Past participle

écrit	pris

Note:

1. Like **écrire** are conjugated

    décrire *to describe*

    and all verbs ending in -(s)crire.

2. Like **prendre** are conjugated

    apprendre *to learn*
    comprendre *to understand*

    and other compounds of **prendre**.

Translate

1. prenez, je prends, ils prennent, nous ne prenons pas, vous preniez, il a appris, j'écris, il écrirait, elle a écrit, Robert écrivait, ils écriront, elle a pris, nous prendrons, nous prendrions, vous aurez pris, elle aurait écrit
2. Elle écrivait à sa mère tous les jours.
3. Balzac a écrit beaucoup de romans.
4. Si vous écrivez un livre, je le lirai. — Si vous le lisez, je l'écrirai.
5. Elle nous a décrit ses voyages.
6. J'ai inscrit tous les noms dans mon carnet (*notebook*).
7. Il faut récrire cette lettre.
8. Alors, vous souscrivez à cette opinion?
9. Avez-vous appris les verbes?
10. Comprenez-vous tout ce que vous lisez en français?
11. Apprend-il facilement? — Ces choses-là s'apprennent facilement.
12. Ce que vous avez entrepris me surprend. Je vous assure que je suis surpris.
13. Il reprendrait ses vieilles habitudes.
14. Avez-vous bien compris tout ce qu'il vous a dit?
15. Enseigner, c'est apprendre deux fois. — Joubert
16. Les choses que l'on sait le mieux sont celles qu'on n'a pas apprises. — Vauvenargues
17. Tout s'apprend, même la vertu. — Joubert

Basic Vocabulary

d'abord *first, at first*	**le front** *forehead*
autrefois *formerly*	**à partir de** *after, from . . . on*
à la suite de *after, as a result of*	**éprouver** *to feel*
	oublier *to forget*

Translate

1. à partir d'aujourd'hui, l'émotion qu'il éprouvait d'abord, autrefois il oubliait, à la suite de ces événements

2. Un autre homme, âgé de trente (30) ans, fort instruit,
à la suite d'une grave maladie, avait tout oublié, jusqu'au
(*even the*) nom des objets les plus communs. Sa santé
rétablie, il recommença à tout apprendre comme un en-
5   fant, d'abord le nom des choses, puis à lire: puis, il commença à apprendre le latin. Ses progrès furent rapides.
Un jour, étudiant avec son frère qui lui servait de maître,
il s'arrêta subitement et porta sa main à son front.
«J'éprouve, dit-il, dans la tête une sensation particulière
10 (*peculiar*), et il me semble maintenant que j'ai su tout cela
autrefois.» A partir de ce moment, il recouvra rapidement
ses facultés. — *Les Maladies de la mémoire*, Th. Ribot (Reprinted by permission of the PRESSES UNIVERSITAIRES DE
FRANCE)

Basic Vocabulary

le médecin *doctor*
  (*physician*)
expliquer *to explain*
la phrase *sentence;*
  phrase
oublier *to forget*

tous (les) deux *both*
mort (past part. of mourir)
  died
selon *according to*
Soyez tranquille! *Don't worry!*
tirer *to draw* (*out*)

Translate

1. je mets, ils connaissent, j'avais mis, je le connais, elle
   connaîtra, elle connaîtrait, je le saurai, il paraît, il paraissait,
   nous avions pris, comprenez-vous? je le saurais, vous
   mettriez
2. prenons, il apprend vite, elle décrit, j'écrivais, ils ont pris, je
   tirerais, tu as décrit, ils prennent, vous écriviez, ils décri-
   raient, on mettrait, vous preniez, vous prendriez, il est
   mort, selon Marie
3. Cet écrivain a décrit son milieu et le nôtre.

4. L'Angleterre et l'Amérique, dit Bernard Shaw, sont deux pays séparés par la même langue.

5. Le cheval nous est utile même après sa mort.

6. L'histoire n'est qu'une répétition des mêmes faits appliqués à des hommes et à des temps divers. — Chateaubriand

7. Il y a plus de fous (*madmen*) que de sages, et dans le sage même, il y a plus de folie que de sagesse. — Chamfort

8. Condamnés à expliquer le mystère de leur vie, les hommes ont inventé le théâtre. — Louis Jouvet

9. *Pourceaugnac* [au médecin]: Mon père et ma mère n'ont jamais voulu de remèdes, et ils sont morts tous deux sans l'assistance des médecins. — Molière

10. Je demandais à M. N . . . pourquoi il n'allait plus dans le monde (*society*). Il me répondit: C'est que je n'aime plus les femmes, et que je connais les hommes. — Chamfort

11. Fox, célèbre joueur, disait: Il y a deux grands plaisirs dans le jeu: celui de gagner et celui de perdre. — Chamfort

12. Le vrai dans toute question ne saurait être absolu. — Delacroix

13. De toute la vie de Napoléon je ne tirerais pas un drame de cinq minutes. — Renard

14. J'écris pour clarifier mes propres idées. — Remy de Gourmont

15. Goethe appelle Voltaire «le Français suprême, l'écrivain qui a été le plus en harmonie avec sa nation.» — Mornet

16. Lorsque dans un pays de liberté, une partie importante du peuple ne reconnaît plus comme légitime l'ordre social établi, la liberté est condamnée à disparaître. — Gaxotte

17. Charles Perrault, écrivain habile et imaginatif du dix-septième siècle, s'est immortalisé par ses contes de fées (*fairy tales*). Vous les connaissez bien. Voici les titres de quelques-uns de ces contes: *La Belle au bois dormant, Le Petit Chaperon Rouge, Le Chat botté, Cendrillon.*

18. On ne connaît pas du tout l'homme qu'on ne connaît pas très bien; mais peu d'hommes méritent qu'on les étudie. — Chamfort

19. Marivaux disait que le style a un sexe, et qu'on reconnaissait les femmes à une phrase. — Chamfort
20. «Molière est si grand, disait Goethe (ce roi de la critique),[1] qu'il nous étonne (*thrills*) de nouveau chaque fois que nous le lisons . . . Chaque année je lis une pièce de Molière comme de temps en temps je contemple quelque gravure d'après (*engraving in the manner of*) les grands maîtres italiens.» — Sainte-Beuve
21. Soyez tranquille! Je n'oublierai jamais le service que je vous ai rendu. — Renard

43. DISJUNCTIVE PERSONAL PRONOUNS

The disjunctive personal pronouns (so called because they do not usually occur in conjunction with the verb) are:

moi I, *me*	**nous** *we, us*
toi *you*	**vous** *you*
lui *he, him, it*	**eux** *they, them* (m.)
elle *she, her, it*	**elles** *they, them* (f.)
soi *oneself*	

Although their uses are sufficiently illustrated by the following exercises, these uses are specifically stated in Appendix A, SECTION 84.

Translate

1. avec elle, sans lui, pour eux, après toi
2. Paul et moi, nous sommes allés au cinéma.
3. Nous sommes sortis sans eux.
4. Robert est un peu plus grand que moi.
5. Paul, lui, a fini son travail.
6. Lui travaillait, eux s'amusaient.

---

[1] Distinguish: **la critique** *criticism*; **le critique** *critic*.

7. Lui seul sait jouer du piano.
8. (Note the clarification of the meaning of the italicized conjunctive pronoun.)
   a. Il *lui* est soumis (à elle).
   b. Elle *lui* est soumise (à lui).
9. Chacun pour soi!
10. On ne doit (*must*) pas parler de soi.
11. L'État, c'est moi. — Louis XIV
12. J'ai pour moi la justice et je perds le procès (*lawsuit*)! — Molière
13. [La vie]: Toujours par nous maudite (*cursed*), et toujours si chérie. — Voltaire

Basic Vocabulary

avoir raison (tort)[1] *to be right* (*wrong*)
avoir honte[1] *to be ashamed* (**honteux** *shameful*)
ajouter *to add*

le mari *husband*
le côté *side* (**du côté de** *towards*)
vite *quickly*

Translate

1. d'un côté, de l'autre côté, de l'autre côté de la rue (*street*), du côté de la ville, c'est honteux, le mari de cette femme, absorbé dans ses pensées
2. Vous avez raison. J'admets que j'ai tort.
3. Il a honte de sa conduite.
4. Ce caractère [the neurasthenic] joue un rôle même dans la jalousie amoureuse; non seulement le jaloux cherche à accaparer pour lui seul l'affection des autres, mais encore il ne peut pas tolérer la pensée que d'autres puissent (*may*) avoir dans leurs amours plus de succès que lui: «Je ne 5 me sens pas aimée suffisamment, je ne jouis pas suffisamment des joies de l'amour, ce serait honteux si mon mari

---

[1] Other important idioms with **avoir** are listed in Appendix A, section 85.

obtenait ces joies mieux que moi d'un autre côté . . .» —
Les Médications psychologiques, F. Janet (Reprinted by
10   permission of the PRESSES UNIVERSITAIRES DE FRANCE)
5. On a donc raison de dire que ce que nous faisons dépend
de ce que nous sommes; mais il faut ajouter que nous
sommes, dans une certaine mesure, ce que nous faisons, et
que nous nous créons continuellement nous-mêmes. —
5   *L'Évolution créatrice,* H. Bergson (Reprinted by permission
of the PRESSES UNIVERSITAIRES DE FRANCE)

44. THE PRESENT PARTICIPLE

The present participle is, in French, that form of the verb
which ends in -ant. The English equivalent ends in -*ing.*

In nearly all cases the verb (the infinitive) is easily recognized from the present participle. Among the irregular verbs
you have had, the few cases which may cause you difficulty are
étant from **être, ayant** from **avoir, sachant** from **savoir, voyant**
from **voir,** and **croyant** from **croire.**

In French the present participle may stand alone or be preceded by the preposition **en,** which is translated, in this case,
by *while, in, on, upon, by.*

> **Il est parti en disant cela.**
> *He left on (upon, while) saying that.*

The preposition **en** is sometimes strengthened by **tout,** thus:

> **Tout en pleurant, il me raconta l'histoire.**
> *While weeping, he told me the story.*

Translate

1. C'est en lisant qu'on apprend à lire.
2. Tout en parlant nous sommes arrivés au théâtre.
3. En marchant vite vous arriverez à temps.

4. En isolant le radium madame Curie et son mari ont changé les théories sur la constitution de la matière et les sources de l'énergie.

5. L'appétit vient en mangeant[1] (*eating*). — Proverbe

Basic Vocabulary

entre *between, among, in*

propre (before a noun) *own*

songer (à) *to think (of)*

la main *hand*

vivre (irr.) *to live*

aveugle *blind*

le bonheur *happiness, good fortune* (par bonheur *fortunately*)

Translate

1. Par bonheur, vous êtes entre amis ici.

2. Je vais vous dire, entre nous, ce qu'il a dit.

3. En occupant les gens de leur propre intérêt, on les empêche de nuire à (*prevents from harming*) l'intérêt d'autrui. — Beaumarchais

4. En élevant un enfant, songez à sa vieillesse. — Joubert

5. La liberté politique ne consiste point à faire ce que l'on veut. — Montesquieu

6. Tout est bien sortant des mains de l'auteur des choses; tout dégénère entre les mains de l'homme. — J.-J. Rousseau

7. Ayant ainsi parlé, l'illustre psycho-physiologue me quitta. Et je songeai que la plus grande vertu de l'homme est peut-être la curiosité. Nous voulons savoir; il est vrai que nous ne

---

[1] Verbs ending in -ger (manger, *to eat,* songer, *to think, dream,* etc.) have an e whenever, in the conjugation, the g comes before o or a (nous mangeons, *we eat;* elle songeait, *she was thinking*).
Similarly, verbs ending in -cer take a cedilla whenever the c comes before o or a (commençons, *let us begin;* commençant, *beginning,* etc.). These changes are necessary in order to keep the pronunciation similar throughout the conjugation.

saurons jamais rien. Mais nous aurons du moins opposé au
5   mystère universel qui nous enveloppe une pensée obstinée
et des regards audacieux; toutes les raisons (*arguments*) des
raisonneurs ne nous guériront point, par bonheur, de cette
grande inquiétude qui nous agite devant l'inconnu. — *La
Vie littéraire*, A. France (Reprinted by permission of
10   CALMANN-LÉVY, ÉDITEURS)

45. INTERROGATION

There are various ways of asking questions in French:

1. By inversion of the verb and the pronoun subject (**Avez-vous étudié les verbes?**).

2. By prefixing **Est-ce que** to a statement:

> **Est-ce que vous partez?**
> *Are you leaving?*
> **Est-ce qu'il l'aime?**
> *Does he love her?*
> **Est-ce qu'ils l'ont fait?**
> *Did they do it?*

Note:

Est-ce que literally means *is it that,* but it is not to be so translated.

3. By making a statement and adding **n'est-ce pas?**:

> **Vous étudiez le français, n'est-ce pas?**
> *You are studying French, aren't you?*
> **Elle est partie, n'est-ce pas?**
> *She left, didn't she?*
> **Il le ferait, n'est-ce pas?**
> *He would do it, wouldn't he?*

Note:

It is apparent from the examples that **n'est-ce pas?** has many meanings which must be determined by the context.

4. When the subject is a noun, by repeating it in the form of a pronoun:

> **Paul est-il ici?**
> *Is Paul here?*
> **Votre sœur est-elle allée au cinéma?**
> *Did your sister go to the movies?*

5. By combining any of the foregoing with an interrogative word:

Comment s'appelle cette jeune fille?
Comment cette jeune fille s'appelle-t-elle?
  (or, less commonly)
Cette jeune fille, comment s'appelle-t-elle?
⎫ *What is this girl's name?*

Combien a-t-il donné au garçon?
Combien est-ce qu'il a donné au garçon?
⎫ *How much (money) did he give to the boy?*

Translate

1. Quand est-ce que Marie est partie?
2. Combien avez-vous payé ce livre?
3. Vos parents vont-ils souvent au théâtre?
4. Combien d'expériences a-t-on faites sur les vitamines?
5. Est-ce que vous commencez à comprendre facilement ce que vous lisez?
6. Y a-t-il de l'argent dans cette enveloppe?
7. Faut-il vivre pour manger ou faut-il manger pour vivre?
8. Louis Braille, l'inventeur de l'écriture en relief, était aveugle, n'est-ce pas?

9. Comment Napoléon est-il devenu (*become*) empereur?
10. Est-ce que l'avion a conquis l'espace?
11. Quand Newton a-t-il découvert la loi de la pesanteur?
12. Ah! vous êtes dévot, et vous vous emportez (*get angry*)? —
    Molière
13. Y a-t-il rien (*anything*) de plus tyrannique, par exemple,
    que d'ôter la liberté de la presse? et comment un peuple
    peut-il se dire libre quand il ne lui est pas permis de
    penser par écrit? — Voltaire

Basic Vocabulary

le cœur *heart*	l'oreille f. *ear*
renseigner *to inform*	laisser *to let*
devant *before, in front of*	s'aviser de *to take into one's*
remercier *to thank*	*head, to venture*

Translate

1. On vous a mal renseigné, mon ami.
2. Je vous remercie de tout cœur, monsieur.
3. Elle a montré un grand courage.
4. *Albert* [professeur de médecine]: Ma raison! . . . Ce qu'elle
   me montre le mieux, c'est la profondeur des ténèbres (*dark-
   ness*) où nos regards se perdent . . . Heureusement elle n'est
   pas mon seul moyen d'investigation. J'ai une imagination,
5 j'ai un cœur, mon être est relié au monde par toute une
   trame frissonnante[1] qui peut me renseigner mieux que ma
   raison. Dans la vie, est-ce elle qui vous conduit aux vérités
   les plus précieuses? Est-ce elle qui vous montre le bonheur
   dans le regard d'une femme? Les grands mots qui gouver-
10 nent tout: la gloire, l'honneur, est-ce la raison qui les souffle
   à notre oreille? Pasteur n'était pas un savant vulgaire

---

[1] relié au monde par toute une trame frissonnante, *bound to the material world by a highly sensitive web.*

(*ordinary*), j'imagine, pourtant sa raison s'inclinait devant la foi. Pourquoi voulez-vous (*expect*) que la mienne, parce que je ne crois pas[1] en Dieu, se déclare satisfaite? Trouvez-vous que sans Dieu l'énigme du monde soit (*is*) simplifiée? 15 Moi, pas. — *La Nouvelle Idole*, Curel (Reprinted by permission of ÉDITIONS ALBIN MICHEL)

[1] **parce que je ne crois pas,** *by not believing.* What does it say literally?

❧ REVIEW 5

Translate

1. de ce côté, du côté du village, parmi vos amis, entre nous, à l'étranger, le mari de Louise, avec eux, le bonheur absolu, par bonheur, par malheur, à partir de ce moment-là, à la suite de ce voyage, les souvenirs d'enfance
2. je le connais, ils prennent, prenons, il montrerait, il montrait, ils vous renseigneront, il y aurait, je ne comprends point, nous oublierons, nous oublierions
3. il a honte, vous avez tort, elle avait raison, ce sera honteux, songez à cela, il s'est mis à écrire
4. finissant, il suffit, tout en lisant, ayant, sachant, l'émotion que j'ai éprouvée
5. D'abord il faut apprendre les verbes. N'oubliez pas cela.
6. Il paraît que ce monsieur est un peu difficile.
7. Elle l'a fait de ses propres mains.
8. C'est une industrie qui est encore à ses débuts.
9. Surtout ne parlez pas devant lui.
10. Il était très bien renseigné, je vous l'assure.
11. N'a-t-il pas montré un peu d'émotion?

12. L'homme se croit supérieur à la femme. La femme, elle, le lui laisse croire.

13. Tout le monde cherche le bonheur; mais peu en trouvent, n'est-ce pas?

14. Voyons, le connaît-il? Mais oui, il l'a connu à l'université.

15. Quand Molière a-t-il écrit cette pièce?

16. Je vous promets de le faire aujourd'hui même.

17. Je vous assure que cela disparaîtra.

18. On nous a reconnus tout de suite. Paul a été reconnu le premier.

19. Elle m'avait promis qu'elle le ferait.

20. Il fumait sa pipe en travaillant.

21. Nous avions beaucoup de confiance en lui. Nous lui avions commis notre fortune.

22. Elle m'écrivait de temps en temps.

23. Avez-vous relu le livre? Relisez-le.

24. Quel âge avait-il quand il a entrepris l'étude du piano?

25. Maintenant décrivez-nous ce que vous avez vu.

26. Il a bien travaillé pendant deux ou trois heures; puis il s'est endormi.

27. J'oublie toujours quelque chose. Autrefois c'était différent!

28. Je voudrais savoir pourquoi il y a tant d'injustice en ce monde.

29. Les amis, a dit Ruskin, sont toujours présents, même quand ils sont absents.

30. Les hommes sont très rarement dignes (*capable*) de se gouverner eux-mêmes. — Voltaire

31. Nous oublions aisément nos fautes, lorsqu'elles ne sont sues que de nous. — La Rochefoucauld

32. Le premier qui ayant enclos un terrain (*a piece of land*) s'avisa de dire, *Ceci est à moi*, et trouva des gens assez simples pour le croire, fut le vrai fondateur de la société civile. — J.–J. Rousseau

33. — Femme, qu'est-ce qui vous attache à lui?
    — Le besoin qu'il a de moi. — Renard

34. La femme est pour son mari ce que son mari l'a faite. — Balzac

35. La République porte en elle-même une vertu précieuse: elle est le seul régime perfectible par nature. — R. Martin du Gard

36. — Je ne m'occupe pas de politique.
    — C'est comme si vous disiez: «Je ne m'occupe pas de la vie.» — Renard

37. John Donne dit dans un sermon que l'homme est un dieu malade, *a sick god*. On ne saurait mieux décrire l'humanité présente. — Julien Green

38. Nous n'avons jamais entièrement raison, ni nos adversaires entièrement tort. — Anatole France

39. Deux sortes d'hommes: ceux qui pensent, et ceux qui s'amusent. — Montesquieu

40. Pour être original, il suffit d'imiter les auteurs qui ne sont plus à la mode. — Renard

41. Pour calmer l'impatient, offrez-lui un fauteuil (*armchair*). — Alain

42. Le roman, selon moi, doit être scientifique, c'est-à-dire rester dans les généralités probables. — Flaubert

43. Son succès lui permet de dire, avec autorité, d'un air profond, des choses absolument insignifiantes. — Renard

44. L'homme qui souffre le plus, c'est toujours celui qui sait le plus. — Duhamel

45. Plus on sait, et plus on est capable d'apprendre. — Alain

46. On fait de la critique quand on ne peut pas faire de l'art. — Flaubert

47. Le peuple ne nous comprend pas. Nous le comprenons encore bien moins. — Renard

48. La raison a ses troubles que le cœur ne connaît pas. — Jean Rostand

49. On n'écrit pas pour soi . . . On écrit pour sortir de soi. — Reverdy

50. La liberté existe toujours. Il suffit d'en payer le prix. — Montherlant

51. Misère — Salomon et Job ont le mieux connu et le mieux parlé de la misère de l'homme: l'un le plus heureux, et l'autre le plus malheureux; l'un connaissant la vanité des plaisirs par expérience, l'autre la réalité des maux (*sufferings*). — Pascal

52. Rien n'est plus désagréable que de découvrir en soi les défauts que nous reprochons à autrui. — Hervé Bazin

53. Nous louons (*praise*) les gens à proportion de l'estime qu'ils ont pour nous. — Montesquieu

54. On peut tout attendre (*expect*) et tout supposer d'une femme amoureuse. — Balzac

55. Nous avons tous en nous un peu de niaiserie (*silliness*). —Renard

56.　　La vérité est qu'il n'y a pas de race pure . . . les plus nobles pays, l'Angleterre, la France, l'Italie, sont ceux où le sang est le plus mêlé. L'Allemagne (*Germany*) fait-elle à cet égard une exception? Est-elle un pays germanique pur? Quelle illusion! Tout le sud a été gaulois. Tout 5 l'est, à partir de l'Elbe, est slave. Et les parties qu'on prétend réellement pures le sont-elles en effet? Nous touchons ici à un des problèmes sur lesquels (*which*) il importe[1] le plus de se faire des idées claires et prévenir les malentendus (*misunderstandings*) . . . 　　　　　　　　 10

　　Une nation est donc une grande solidarité, constituée par le sentiment des sacrifices qu'on a faits et de ceux qu'on est disposé à faire encore. Elle suppose un passé; elle se résume pourtant dans le présent par un fait tangible: le consentement, le désir clairement exprimé de 15 continuer la vie commune. L'existence d'une nation est un plébiscite de tous les jours, comme l'existence de l'individu est une affirmation perpétuelle de la vie. — Renan

---

[1] **il importe**, *it is important*. Note this idiom.

❧ PART 6

46. venir (*to come*)

Present

viens	venons
viens	venez
vient	viennent

Past participle

venu

Past definite

vins

Stem of future (and conditional)

viendr-

Note:

1. Like **venir** are conjugated **tenir**, *to hold*, and compounds of both. **Venir** and most of its compounds take the auxiliary **être** to form the compound tenses; **tenir** and its compounds take **avoir**. (All reflexives, of course, take **être**.)

124

Basic Vocabulary

convenir *to agree, to suit*

devenir *to become*

se souvenir *to recall*

appartenir *to belong*

venir de (+ infinitive) *to have just*

huit jours *a week*

quinze jours *two weeks*

demain *tomorrow*

Translate

1. je venais, je vins, vous vîntes, ils vinrent, ils tiennent, vous conviendrez, il contiendrait, tu étais devenu, vous avez tenu, il tint, nous sommes revenus, je me souviens, il avait appartenu, vous serez intervenu
2. Paul est venu de France par le Canada.
3. Elle est devenue riche.
4. Ils sont revenus ici.
5. Il était intervenu pour prendre sa défense.
6. Nous nous sommes entretenus avec les invités.
7. Comment avez-vous obtenu ce privilège?
8. Ces privilèges s'obtiennent facilement.
9. Je maintiens qu'il ne dit pas la vérité.
10. Ils reviendront dans huit jours.
11. Retenez bien ceci: la vie est une lutte (un combat).
12. Elle retiendra ce que vous avez dit.
13. Cette lettre contenait un chèque, n'est-ce pas?
14. J'obtiendrai sa permission.
15. Cela lui appartient, à lui.
16. Cette brochure contiendrait le résultat de ses recherches.
17. Presque tous les livres contiennent des erreurs.
18. Si cela vous convient, je reviendrai demain.
19. Je soutiens qu'il a raison.
20. Ah! je me souviendrai de cet exercice.
21. Cela n'a pas convenu à Julie.
22. Elle s'est entretenue un moment avec ses amies.
23. Voltaire entretint une vaste correspondance avec les

personnes les plus illustres du XVIIIᵉ (dix-huitième) siècle.

24. Le mot *télescope* vient de deux mots grecs qui signifient *voir de loin.*
25. Il le tient comme la vanité tient l'homme.
26. Un empire fondé par les armes a besoin de se soutenir par les armes. — Montesquieu

Basic Vocabulary

prêter *to lend*	**le sang** *blood*
le droit *right, law* (**faire**	**la façon** *fashion, manner,*
son droit *to study law*)	*way* (**de façon à** *so as to*)

Translate

1. les droits civils, une façon de parler, prêter de l'argent, prêter attention, il se prêtait, de façon à, faire son droit
2. Cela nous a glacé le sang dans les veines.
3. Faites-le de la façon suivante.
4. Il prêtait son argent à sept pour cent.
5. Je ferai mon droit à l'Université de Paris.
6. On n'a pas le droit d'aller par le monde tâter le crâne des gens, puis les prendre à la gorge (*throat*) en leur disant: «Tu es de notre sang, tu nous appartiens.» — Renan
7. (Observe the abbreviations):

     Les expériences de pédagogie psychologique peuvent être divisées en deux groupes: 1° celles qui sont faites dans les laboratoires de psychologie, et 2° celles qui sont faites dans les écoles.

5   En pédagogie ce sont surtout les expériences du deuxième groupe qui sont appréciées, mais il ne faut pas (*one must not*) négliger pour cette raison les expériences de laboratoires. En effet, dans les laboratoires de psychologie on fait des recherches sur un petit nombre de personnes qui en

10   général viennent au laboratoire pour apprendre la psychologie, et se prêtent par conséquent avec beaucoup de

bonne volonté aux expériences. Avec ces personnes comme
sujets, on peut faire des examens très minutieux, on peut
étudier l'influence des différentes causes d'erreur, chercher
si telle méthode peut donner quelque résultat ou non, 15
essayer de nouvelles méthodes et les perfectionner de façon
à les rendre pratiques et simples. — *La Fatigue intellectuelle*,
Binet et Henri (Reprinted by permission of ALFRED COSTES,
ÉDITEUR)

47. THE INFINITIVE

In French the infinitive may stand alone after certain expressions or be preceded by a preposition after others. (see Appendix A, SECTION 86.) In most cases the French infinitive is
translated by the English infinitive:

> **J'aime travailler.**
> *I like to work.*
> **Nous allons partir.**
> *We are going to leave.*
> **Il faut apprendre les verbes.**
> *It is necessary to learn the verbs.*

In some cases the infinitive is to be translated passively,
while in others it must be translated by the *-ing* form of the
verb:

> **C'est une faute à éviter.**
> *It's a mistake to be avoided.*
> **Il vit bâtir cette cathédrale.**
> *He saw this cathedral being built.*
> **Voir, c'est croire.**
> *Seeing is believing.*
> **A-t-il fini son travail avant de[1] sortir?**
> *Did he finish his work before going out?*

[1] For the use of the infinitive after prepositions, see Appendix A, SECTION
87.

Après avoir mangé, il est sorti.
After eating (or *after having eaten*), *he went out.*
Après être rentré, il s'est couché.
After returning home (or *after having returned home*), *he went to bed.*

Note:

The infinitive is sometimes (rarely) used historically, that is to say, instead of the past definite (**Et elle de rire,** *And she laughed*). Observe that it is preceded by **de.**

Basic Vocabulary

ensuite *next, afterwards*
davantage *more*
à moins que[1] *unless*
l'esprit m. *mind, wit, intelligence, spirit*
le but *goal, aim*
mourir (irr.) *to die*

par là même *for that very reason*
ignorer *to be unaware of, to be ignorant of, not to know*
au moins (du moins) *at least*
la conscience *consciousness, conscience*

Translate

1. un homme d'esprit, avec une présence d'esprit étonnante, perdre l'esprit, un trait (*flash*) d'esprit, du moins, à moins qu'il n'arrive aujourd'hui, il ignorait, il ignorerait, au moins, par là même, ensuite il s'approcha davantage
2. Je le voyais venir.
3. Alors, vous maintenez que vous l'avez vu?
4. Peut-on réussir à un examen sans étudier?
5. *La Chanson de Roland* est le poème épique français le plus célèbre. Roland, le héros de ce poème, a mieux aimé mourir que de sacrifier son honneur.

---

[1] The verb which follows **à moins que** may be preceded by a redundant (superfluous) **ne.**

6. Finis ta leçon! Tu iras jouer ensuite.

7. Il a gagné au moins 100 dollars. J'ignore ce qu'il en (*with it*) fera.

8. Pour bien enseigner il faut répéter, mais avec art. Le bon professeur ressemble à un bon compositeur: il rend la répétition agréable.

9. Les fausses opinions ressemblent à la fausse (*counterfeit*) monnaie qui est frappée (*coined*) d'abord par de grands coupables, et dépensée ensuite par d'honnêtes gens qui perpétuent le crime sans savoir ce qu'ils font.—Joseph de Maistre

10. C'est peu d'être équitable, il faut rendre service. — Voltaire

11. Les impôts (*taxes*) sont nécessaires. La meilleure manière de les lever est celle qui facilite davantage le travail et le commerce. Un impôt arbitraire est vicieux. — Voltaire

12. (Notice the *que*, which introduces the real subject): C'est sortir de l'humanité que de sortir du milieu. — Pascal

13. En résumé, le végétal fabrique directement des substances organiques avec des substances minérales: cette aptitude le dispense en général de se mouvoir et, par là même, de sentir. Les animaux, obligés d'aller à la recherche de leur nourriture, ont évolué dans le sens de l'activité locomotrice 5 et par conséquent d'une conscience de plus en plus ample, de plus en plus distincte. — *L'Évolution créatrice*, H. Bergson (Reprinted by permission of the PRESSES UNI-VERSITAIRES DE FRANCE)

14. J'accuse le général Mercier de s'être rendu complice, tout au moins par faiblesse d'esprit, d'une des plus grandes iniquités du siècle.

J'accuse le général Billot d'avoir eu entre les mains les preuves certaines de l'innocence de Dreyfus et de les avoir 5 étouffées (*suppressed*), de s'être rendu coupable de ce crime de lèse-humanité[1] et de lèse-justice,[1] dans un but

---

[1] Same word in English; see vocabulary.

politique et pour sauver l'état-major (*general staff*) compromis.

10   J'accuse le général de Boisdeffre et le général Gonse
de s'être rendus complices du même crime, l'un sans doute
par passion clericale, l'autre peut-être par cet esprit de
corps qui fait des bureaux de guerre l'arche sainte, inat-
taquable.

15   J'accuse le général de Pellieux et le commandant Ravary
d'avoir fait une enquête scélérate (*wicked*), j'entends
(*mean*) par là une enquête de la plus monstrueuse par-
tialité, dont nous avons le rapport du second, un im-
périssable monument de naïve audace.

20   J'accuse les trois experts en écriture (*handwriting*), les
sieurs [messieurs] Belhomme, Varinard et Couard, d'avoir
fait des rapports mensongers (*lying*) et frauduleux, à
moins qu'un examen médical ne les déclare atteints d'une
maladie de la vue et du jugement.

25   J'accuse les bureaux de guerre d'avoir mené dans la
presse, particulièrement dans *L'Éclair* et dans *L'Écho de
Paris*, une campagne abominable, pour égarer l'opinion et
couvrir leur faute.

J'accuse enfin le premier conseil de guerre d'avoir violé
30   le droit, en condamnant un accusé sur une pièce restée
(*kept*) secrète, et j'accuse le second conseil de guerre
d'avoir couvert cette illégalité, par ordre, en commettant
à son tour le crime juridique d'acquitter sciemment (*know-
ingly*) un coupable.

35   En portant ces accusations, je n'ignore pas que je me
mets sous le coup[1] des articles 30 et 31 de la loi sur la
presse du 29 juillet 1881, qui punit les délits (*crimes*) de
diffamation. Et c'est volontairement que je m'expose. —
J'accuse, E. Zola (Reprinted by permission of EUGÈNE
40   FASQUELLE, ÉDITEUR)

---

[1] **je me mets sous le coup,** *I lay myself open to prosecution.* What does
it say, literally?

48. CAUSATIVE faire

Faire or any of its forms is often followed by an infinitive. When it is so used, **faire** is causative, that is to say, the subject of the verb *causes* the action to be done by someone else. This construction is the equivalent of *to have something done, to cause something to be done, to order someone to do something* as in:

> **Faites servir le dîner.**
> *Have dinner served.*
> **Je le ferai servir tout de suite.**
> *I'll have it served at once.*
> **Il a fait envoyer des fleurs à Hélène.**
> *He had some flowers sent to Helen.*
> (*He ordered some flowers for Helen.*)
> **Il a fait venir le médecin.**
> *He sent for the doctor.*

Basic Vocabulary

n'importe quel *any, any whatever* (lit., *it does not matter which*)
ne . . . aucun (or **aucun . . .ne**) *no, not any*
cacher *to hide*
le dos *back*
le frisson *shiver*

hardi *bold*
vieillir *to grow old*
chacun *each (one)*
quoi *what*
orgueil m. *pride*
chez *at the house (office, shop,* etc.) *of; in, with, among, in the works of*
mener[1] *to lead*

Translate

1. je mène, vous menez, ils mèneront, elle achète, nous achèterions, n'importe quel livre, chez le dentiste, chez le

---

[1] **Mener, acheter** (*to buy*) and a few other verbs that have a mute **e** in the stem take a grave accent in some forms. See Appendix D, p. 265.

boucher, chez nous, chez les Français, chez l'animal, chez Shakespeare, n'importe quel pays, aucun de ces garçons ne sait, aucune d'elles ne cherche

2. Ils ont fait construire un garage.
3. Puis-je faire servir le dîner maintenant'
4. Elle ferait venir le médecin.
5. Ils menaient une vie tranquille.
6. Il l'a menée au théâtre.
7. (In this and the next two sentences, use only one word to translate the form of *faire* and the infinitive): Le garçon fait voir son travail à sa mère.
8. Elle m'a fait voir son nouveau chapeau.
9. Les discours de ce monsieur X font paraître son manque (*lack*) d'intelligence.
10. La plupart des hommes ont, comme les plantes, des propriétés cachées que le hasard fait découvrir. —La Rochefoucauld
11. Comme c'est le caractère des grands esprits de faire entendre en peu de paroles beaucoup de choses, les petits esprits, au contraire, ont le don de beaucoup parler et de ne rien dire. — La Rochefoucauld
12. Les fortes brutalités de la nature ou des hommes peuvent nous faire pousser des cris d'horreur ou d'indignation, mais ne nous donnent point ce pincement (*gripping*) au cœur, ce frisson qui vous passe dans le dos à la vue de certaines petites choses navrantes (*heart-rending*). — Maupassant
13. M. Grandet [le maire] quitta les honneurs municipaux sans aucun (*any*) regret. Il avait fait faire, dans l'intérêt de la ville, d'excellents chemins qui menaient à ses propriétés. — Balzac
14. La diffusion internationale d'une langue ne dépend pas du nombre de personnes qui la parlent chez eux; autrement tout le monde devrait (*ought*) apprendre le chinois.

   La diffusion internationale d'une langue ne dépend pas non plus (*either*) de la force brutale, comme telle. La

Turquie victorieuse n'a pas pu faire accepter sa langue
par les vaincus.

La diffusion internationale d'une langue ne dépend pas
de l'étendue territoriale, ni de l'indépendance nationale, ni
même de l'existence politique de ceux qui la parlent. 10
L'empire romain n'a pu imposer sa langue à la petite
Grèce.

Et comme corollaire, on peut affirmer hardiment
qu'aucune nation d'une civilisation inférieure ne peut imposer sa langue à n'importe quel peuple d'une civilisation 15
supérieure. Le Grec a résisté aux Romains et a civilisé ses
conquérants . . . A l'Ouest, au contraire, les peuplades
(*clans, tribes*) de la Péninsule Ibérique, de la Gaule et de
la Bretagne se sont inclinées devant la langue de Rome et
sa civilisation supérieure. — *Le Français, langue diplomati-* 20
que moderne, J. B. Scott

49. craindre (*to fear*)

Present

crains	craignons
crains	craignez
craint	craignent

Present participle

craignant

Imperfect

craignais

Past participle

craint

Past definite

craignis

Note:

Like **craindre** are conjugated

> **plaindre**, *to pity*
> **se plaindre**, *to complain*
> **atteindre**, *to attain; to reach*
> **joindre**, *to join*

and all verbs in

> **-aindre**
> **-eindre**
> **-oindre**

Translate

1. elle craint, nous avions craint, ils craignent, vous craigniez, ils craindront, elle craindrait, il se plaint, nous plaignons, nous nous plaignons, ils joignaient, elle atteindra, elle attendra
2. Je le plains. Nous le plaignons. — Ne le plaignez pas.
3. De quoi vous plaignez-vous? — Je ne me plains de rien. Je ne me plains que de mon mari.
4. Les alpinistes atteignent maintenant le sommet du Mont Blanc sans grande difficulté.
5. Il rejoindrait son régiment dans quelques jours.
6. Notre monsieur X joint l'arrogance à l'imprudence.
7. Si nous joignons nos efforts nous réussirons.
8. Vous avez rejoint vos amis au café, n'est-ce pas?
9. Il était atteint (souffrait) d'une maladie contagieuse.
10. Le craignez-vous? Ne le craignez pas.
11. Ces enfants ne craignent rien du tout.
12. Il fera peindre son portrait.
13. Ce monsieur se fait peindre.
14. L'optimiste peint tout en rose.
15. La terreur était peinte sur son visage.
16. Avec vous, je ne craindrais rien.

17. Chacun croit aisément ce qu'il craint et ce qu'il désire. — Proverbe
18. Si nous n'avions point d'orgueil, nous ne nous plaindrions pas de celui des autres. — La Rochefoucauld
19. L'amour de la justice n'est, en la plupart des hommes, que la crainte de souffrir de l'injustice. — La Rochefoucauld
20. Un homme qui serait en peine de connaître s'il change, s'il commence à vieillir, peut consulter les yeux d'une jeune femme qu'il aborde (*speaks to*) et le ton dont elle lui parle: il apprendra ce qu'il craint de savoir. Rude école. — La Bruyère

Basic Vocabulary

le métier *trade, calling, profession*
le corps *body*
la semaine *week*
la clé *key*

effectivement *as a matter of fact*
entretenir *to keep up, to maintain*
il y a (+ expression of time) *ago*

Translate

1. il vient, on deviendrait, ils appartiennent, nous entrions, nous entrerions, elle est venue, elle avait tenu
2. il vient de lire, il venait de mettre, je me souviens d'elle, huit jours, prêtez attention
3. il mène, chez le médecin, n'importe quel livre, nous menions, nous mènerions, il l'ignorait, un homme d'esprit, ensuite elle le lui a dit, davantage, à moins que
4. Qu'est-ce que l'ironie? C'est une sorte de raillerie qui consiste à dire le contraire de ce qu'on veut faire entendre.
5. Travaillons sans raisonner (*arguing*) . . . c'est le seul moyen de rendre la vie supportable. — Voltaire
6. La passion est toute l'humanité. Sans elle, la religion, l'histoire, le roman, l'art seraient inutiles. — Balzac
7. Les différentes professions peuvent beaucoup affecter notre esprit. Par exemple, un homme qui enseigne peut devenir

aisément opiniâtre (*stubborn*) parce qu'il fait le métier
d'un homme qui n'a jamais tort. — Montesquieu

8. M . . . me disait: J'ai renoncé à l'amitié de deux hommes,
l'un parce qu'il ne m'a jamais parlé de lui, l'autre parce
qu'il ne m'a jamais parlé de moi. — Chamfort

9. Le travail fortifie l'esprit. — Vigny

10. L'existentialiste tient que chez l'homme—et chez l'homme
seul—l'existence précède l'essence. Ceci signifie tout simplement que l'homme *est* d'abord et qu'ensuite seulement il
est ceci ou cela. — Sartre

11. La Bruyère était un grand peintre, et n'était pas peut-être
un grand philosophe; le duc de La Rochefoucauld était
philosophe, et n'était pas peintre. — Vauvenargues

12. Ce que vous écriviez il y a quinze jours, il y a huit jours,
l'écririez-vous maintenant?
— Non, bien sûr. Nous sommes en révolution. D'une heure
à l'autre, tout se modifie. — Mauriac

13. La guerre va devenir un anachronisme. La civilisation,
croyez-moi, prendra sa revanche . . . Les histoires s'accom-
pliront un jour sans canons ni baïonnettes. — Napoléon

14. Tout tend à faire de tous les mêmes robots. — Guéhenno

15. Si l'on demandait à des biologistes de choisir, dans leur
vocabulaire, trois mots clés, l'accord, semble-t-il, serait vite
fait sur les suivants: gène, enzyme, anticorps. Effectivement, ce sont les choses que ces trois mots désignent qui
5   avaient été retenues, comme thèmes d'étude, par les orga-
nisateurs de l'imposant symposium qui se tenait, l'autre
semaine, à la Sorbonne, à l'occasion du cinquantième
anniversaire de la Société de Chimie Biologique. Le gène,
c'est la parcelle chromosomique qui assure le transfert, des
10   parents à l'enfant, des caractères héréditaires. L'enzyme,
c'est le catalyseur qui permet à un organisme d'entretenir
en lui la vie. L'anticorps, enfin, c'est la substance dont[1]

---

[1] **Dont . . . se sert** *which . . . uses*

l'organisme se sert pour éviter l'adultération que[1] pourraient déterminer une cause ou un agent venus de l'extérieur. — Albert Delaunay (Reprinted by permission of LE FIGARO LITTÉRAIRE)

50. NEGATION

The negatives are as follows:

ne . . . pas *not*

ne . . . pas encore *not yet*

ne . . . plus *no more, no longer*

ne . . . guère *scarcely, hardly*

ne . . . jamais *never*

ne . . . personne *no one, nobody*

ne . . . nul *no one, nobody*

ne . . . rien *nothing*

ne . . . pas du tout *not at all*

ne . . . point[2] *not at all*

ne . . . nullement *not at all*

ne . . . aucun *none, no one, no*

ne . . . ni . . . ni *neither . . . nor*

ne . . . que *only, nothing but*

non plus *either, neither* (see Note 5 below)

Note:

1. **Personne, aucun, rien, nul,** and **jamais** may stand at the beginning of a clause; **ne** precedes the verb:

   Personne n'est arrivé.
   No one has arrived.
   Aucune de nos amies n'est venue au bal.
   No one of our friends (f.) *came to the ball.*

2. The two members of a negation usually stand together before the infinitive:

   Être ou ne pas être
   To be or not to be

[1] **Que pourraient déterminer** *which could be determined by*

[2] **Ne . . . point** is often used as a synonym of **ne . . . pas,** but it is actually more emphatic and may be rendered, in some cases, by *not at all.*

3. **Ne** may be used alone with full negative force with the verbs **pouvoir, savoir, cesser, oser:**

Il n'oserait (pas) le répéter.
He would not dare repeat it.
Il ne cesse (pas) de pleuvoir.
It does not stop raining.

Observe the following idioms:

> **Je ne sais *que* faire.**
> *I don't know* what *to do.*
> **Il ne savait *que* dire.**
> *He did not know* what *to say.*

4. **Que** occurs sometimes in conjunction with two other negatives (**ne . . . plus que, ne . . . guère que,** etc.). In such cases **que** is rendered by *except:*

Nous ne trouvons guère de gens de bon sens que ceux qui sont de notre avis. — La Rochefoucauld
We find scarcely any people of good sense except those who agree with us (are of our opinion).

5. **Non plus** is sometimes used as the equivalent of **ne . . . plus,** but usually, after a negation, it means *either* or *neither:*

Vous ne le savez pas? Ni moi non plus.
You don't know it? Neither do I (I don't either).

Translate

1. Nous ne savons que faire. Nous ne savions que dire.
2. Personne ne peut abuser du pouvoir pour toujours.
3. Vous jurez de dire la vérité et de ne rien dire que la vérité?
4. Trop de gens ne savent ni lire ni écrire.
5. Le pauvre homme ne pouvait se consoler.
6. Je ne sais que dire. Elle ne savait que faire.

7. Nul ne peut servir deux maîtres. — La Bible
8. Tout le monde se plaint de sa mémoire, et personne ne se plaint de son jugement. —La Rochefoucauld
9. Rien ne rapetisse (*lowers*) l'homme comme les petits plaisirs. — Joubert
10. Pour savoir si une pensée est nouvelle, il n'y a qu'à l'exprimer bien simplement. — Vauvenargues
11. Les grands crimes n'ont guère été commis que par de célèbres ignorants. — Voltaire
12. Il [L'abbé de Saint-Pierre] était persuadé que l'auteur zélé pour le bien ne peut assez redire les choses importantes, et il ne s'est que trop conformé à ce principe. — D'Alembert
13. Aucun jardin de fleurs ne conduit à la gloire. — La Fontaine
14. Les personnes faibles ne peuvent être sincères. — La Rochefoucauld
15. Nul ne possède d'autre droit (*right*) que celui de toujours faire son devoir. — Auguste Comte
16. La gloire ne peut être où la vertu n'est pas. — Lamartine
17. Rien ne nous rend si grands qu'une grande douleur. — Musset
18. Le style n'est qu'une manière de penser; si votre conception est faible, jamais vous n'écrirez d'une manière forte. — Flaubert
19. Rien ne se perd; rien ne se crée; dans la nature tout se transforme. — Lavoisier
20. Rien n'est plus opposé au beau naturel que la peine qu'on se donne pour exprimer des choses ordinaires ou communes d'une manière singulière ou pompeuse; rien ne dégrade plus l'écrivain. Loin de l'admirer, on le plaint d'avoir passé tant de temps à faire de nouvelles com- 5 binaisons de syllabes, pour ne dire que ce que tout le monde dit. Ce défaut est celui des esprits cultivés, mais stériles. — Buffon

Basic Vocabulary

empêcher *to prevent*   quelconque *whatever*

Translate

On ne peut douter que la quantité de l'influx nerveux . . .
varie d'un individu à l'autre, et d'un moment à l'autre chez
le même individu. On ne peut douter non plus qu'à un moment donné, chez un individu quelconque, la quantité dis-
5 ponible peut être distribuée d'une manière variable. Il est
clair que, chez le mathématicien qui spécule et chez l'homme
qui satisfait une passion physique, la quantité d'influx nerveux
ne se dépense pas de la même manière et qu'une forme de
dépense empêche l'autre, le capital disponible ne pouvant être
10 employé à la fois à deux fins. — *Les Maladies de la volonté,*
Th. Ribot (Reprinted by permission of the PRESSES UNIVERSI-
TAIRES DE FRANCE)

51. PRESENT AND PRESENT PERFECT SUBJUNCTIVES

The endings of the present subjunctive are the same for all
verbs except **avoir** and **être**. They are **-e, -es, -e, -ions, -iez, -ent.**
They are attached to the *stem:*

que je trouve	que j'agisse
que tu trouves	que tu agisses
qu'il trouve	qu'il agisse
que nous trouvions	que nous agissions
que vous trouviez	que vous agissiez
qu'ils trouvent	qu'ils agissent

que je sente, *etc.*
que je vende, *etc.*

The present subjunctive of **avoir** and **être**:

avoir	être
que j'aie	que je sois
que tu aies	que tu sois
qu'il ait	qu'il soit
que nous ayons	que nous soyons
que vous ayez	que vous soyez
qu'ils aient	qu'ils soient

The present perfect subjunctive consists of the present subjunctive of the auxiliary (**avoir** or **être**) plus the past participle of the main verb (**que j'aie trouvé, que je sois arrivé,** etc.).

The infinitive of most irregular verbs is easily recognized from its subjunctive form. Of the irregular verbs you have had, the following may cause some difficulty:

Pres. subj. (first pers. sing.)	Infinitive
aille	aller
fasse	faire
puisse	pouvoir
veuille	vouloir
sache	savoir
lise	lire
prenne	prendre
vienne	venir
craigne	craindre

The present tense used in previous lessons is technically called the present indicative. The present and the other indicative tenses state facts.

The subjunctive, on the other hand, is essentially a mood of doubt, of uncertainty, of emotions, of personal reaction to, rather than the statement of, facts.

Except in a very few cases, which will be considered later,

the subjunctive is used in subordinate clauses introduced by **que** (*that*) after expressions of joy, sorrow, fear, necessity, ignorance, will, desire, command, believing and thinking (when negative or interrogative), prohibition, preference, etc. It is also used when a characteristic sought may not be obtained, and when the main clause is qualified by a superlative word such as **seul, premier, dernier.**

The subjunctive is further used after such conjunctions as:

> **afin que** ⎱ *in order that, so that*
> **pour que** ⎰
> **avant que** *before*
> **bien que** ⎱ *although*
> **quoique** ⎰

pourvu que *provided that*   **sans que** *without*
à moins que *unless*   **jusqu'à ce que** *until*

Details concerning the forms and uses of the subjunctive appear in Appendix A, section 88.

The literal translation of the present subjunctive is *may* plus the meaning of the verb (**que je trouve,** *that I may find*) and that of the present perfect subjunctive is *may have* plus the past participle of the main verb (**que j'aie trouvé,** *that I may have found;* **que je sois arrivé,** *that I may have arrived*). Very often, though, the *may* and *may have* need not be used. The translation must always be dependent upon good English. Notice the following:

Je regrette que vous soyez malade.
I am sorry that you are ill (literally, *that you may be ill*).
Je regrette que vous ayez été malade.
I am sorry you have been (or *were*) *ill.*
Ils sont partis sans que je les aie vus.
They left without my seeing them.
Je suis content qu'il vienne.
I am glad he is coming (or *will come*).

Translate

1. quoiqu'il ait, pour que vous soyez, sans qu'elle fasse, bien qu'il voie, pour que nous fassions, jusqu'à ce qu'il dise, afin qu'il vienne, pour que nous sachions, sans que nous ayons, pour qu'ils connaissent
2. Il est possible que j'aille à New York.
3. Paul est content qu'elle vienne.
4. Il est content qu'elle soit venue.
5. Croyez-vous qu'il puisse réussir?
6. Restez ici jusqu'à ce que je revienne.
7. Il faut que vous le fassiez tout de suite.
8. Crois-tu qu'ils soient à Paris?
9. Je doute qu'il veuille faire cela.
10. C'est le meilleur film que j'aie vu cette année.
11. Je cherche une femme qui sache faire la cuisine (*cooking*).
12. Il n'admet pas que vous ayez raison.
13. Il faut que je finisse cette leçon avant de sortir.
14. Je vous le répète afin que vous ne l'oubliiez pas.
15. Quoiqu'il ait beaucoup d'argent, il travaille tous les jours.
16. Est-il vrai que la nature soit toujours la même?
17. Ne désirez rien que vous ne puissiez obtenir.
18. Il n'est pas vrai que les hommes soient meilleurs dans la pauvreté que dans les richesses. — Vauvenargues
19. Les faibles veulent quelquefois qu'on les croie méchants mais les méchants veulent passer pour bons. — Vauvenargues
20. Peuple! ne croyons pas que tout nous soit permis! — André Chénier
21. Il n'y a pas d'apparence que les premiers principes des choses soient jamais (*ever*) bien connus. — Voltaire
22. Il n'y a que la liberté d'agir et de penser qui soit capable de produire de grandes choses. — D'Alembert

Basic Vocabulary

demeurer *to remain, to live*

moindre *least (lesser)*

à l'egard de *concerning, with regard to*

Quel dommage! *What a pity!*

jaune *yellow*

s'il vous plaît *please*

la nouvelle *short story*

pourtant *however*

la mort *death*

manquer *to be lacking, to be missing*

garder *to keep*

Translate

1. le moindre murmure, la moindre chose, il demeure, il demeurait, il demeurerait, à l'égard de notre conversation, c'est dommage, quel dommage!
2. Dans la vie il faut souvent choisir le moindre de deux maux.
3. Où demeure le président de la République?
4. C'est grand dommage qu'il ne l'ait pas fait.
5. C'est grand dommage qu'il ne soit pas venu.
6. Chacun pour soi et Dieu pour tous. — Proverbe
7. Le talent est une longue patience. Il s'agit de regarder tout ce qu'on veut exprimer assez longtemps et avec assez d'attention pour découvrir un aspect qui n'ait été vu et dit par personne. Il y a, dans tout, de l'inexploré, parce que
5   nous sommes habitués à ne nous servir de nos yeux qu'avec le souvenir de ce qu'on a pensé avant nous sur ce que nous contemplons. La moindre chose contient un peu d'inconnu. Trouvons-le. Pour décrire un feu (*fire*) qui flambe et un arbre (*tree*) dans une plaine, demeurons en face de ce feu
10 et de cet arbre jusqu'à ce qu'ils ne ressemblent plus, pour nous, à aucun (*any*) autre arbre et à aucun autre feu. C'est de cette façon qu'on devient original. — Maupassant

52. REDUNDANT (SUPERFLUOUS) ne

You have learned that **ne** is used without **pas** with full negative force with the verbs **savoir, pouvoir, oser, cesser** (SECTION 50, *Note* 3).

On the other hand, **ne** may be used redundantly:

1. After verbs of fear:

> **J'ai peur qu'il ne vienne.**
> *I am afraid he is coming.*

2. After **à moins que** (*unless*):

> **Il partira, à moins qu'il ne soit malade.**
> *He will leave unless he is sick.*

3. After **avant que** (*before*):

> **Partons avant qu'il n'arrive!**
> *Let's leave before he arrives!*

4. After comparatives:

> **Il est plus riche que je ne croyais.**
> *He is richer than I thought.*

Translate

1. Il y a beaucoup moins d'ingrats qu'on ne croit, car il y a bien moins de généreux qu'on ne pense.—Saint-Évremond
2. A l'égard du problème de la limitation des armements, il [Hitler] est perplexe; il n'est pas opposé au principe d'une telle limitation; mais il n'aperçoit pas les moyens de la réaliser dans la pratique; . . . il craint aussi que s'il parle de limitation des armements, l'opposition anglaise ne 5 prétende qu'il recule devant l'énergie britannique; sa pensée demeure flottante. En revanche, il est disposé à aborder sans hésitation le problème de l'humanisation de

la guerre et à s'avancer assez loin sur ce terrain. Il y (*in it*)
10   voit un bon préambule, une heureuse préface, d'où pourrait naître (*result*) une atmosphère plus favorable à l'examen ultérieur de la question des armements. — *French dip-
lomatic report*

✒ REVIEW 6
(SECTIONS 46–52)

Translate

1. chez nous, chez le docteur, chez les animaux intelligents, chez les peuples primitifs, en n'importe quel pays, un homme quelconque, chez Molière
2. elle empêcherait, je tiens, je soutiens, ils plaignent, elle se plaint, il appartiendra, elle mène, nous demeurons, j'achèterai, j'achetai, vous ignorez, il craint, cela contient
3. au moins, par là même, ensuite dites-lui, faire de l'esprit, un sujet qui se prête, le moindre talent, les droits de l'homme
4. à moins qu'il ne donne, avant qu'il ne fasse, bien qu'il ait, pour que vous sachiez, quoiqu'ils sortent, afin qu'elle aille, pourvu qu'il lise, sans que nous le voyions, jusqu'à ce qu'il dise
5. ils craignent, elle se plaignait, vous vous souvenez, je crains, nous achèterions, plaignons-le, ne le craignez pas, il demeure ici, la moindre chose
6. Je soutiendrais votre candidature ouvertement.
7. Il a fait fortune; du moins, on le dit.

8. Il était atteint de la fièvre jaune.

9. Marie a été reçue à l'examen de botanique.

10. Elle n'a pas atteint son but (*goal*).

11. D'où vient le mot *microscope?*

12. Cette mode-là ne durera pas. Elle disparaîtra en quelques jours.

13. Je maintiens que ça (= cela) n'est pas vrai.

14. Il ne disait pas clairement ce qu'il voulait, mais il parlait de façon à nous le faire comprendre.

15. Quel dommage que vous ne puissiez faire cela!

16. La postérité lui marque beaucoup plus d'estime qu'il ne méritait.

17. Elle a fait venir le médecin.

18. Faites-moi voir ce livre, s'il vous plaît.

19. J'ignorais tout à fait ce détail-là.

20. Il ne savait que dire, ni que faire.

21. Elle se plaint toujours de quelque chose.

22. Je les entends venir. Travaillons sans rien dire.

23. Il avait vu vendre des esclaves.

24. Je me souviendrai bien de lui.

25. Elle l'aimait et le craignait tout à la fois.

26. Le droit de vote est aussi un devoir.

27. La vie nous enseigne à ne pas craindre la mort.

28. Nous désirons un guide qui connaisse bien la ville.

29. Ça n'a aucune importance.

30. *La Parure* est la meilleure nouvelle qui ait jamais (*ever*) été écrite.

31. Ce monsieur parle toujours de discrétion, mais c'est l'homme le plus indiscret que je connaisse.

32. Nul n'est prophète en son pays. — Proverbe

33. Avant donc que d'écrire, apprenez à penser. — Boileau

34. La vie est trop courte, le temps trop précieux pour dire des choses inutiles. — Voltaire

35. La crainte est nécessaire quand l'amour manque; mais il la faut toujours employer à regret, comme les remèdes les plus violents et les plus dangereux. — Fénelon

36. Il est bien rare que la vocation artistique soit une bénédiction (*blessing*). — Claudel

37. Il est indispensable que le théâtre soit aidé, soit protégé. — Romains

38. Bêtise (*foolishness*) humaine. «Humaine» est de trop: il n'y a que les hommes qui soient bêtes. — Renard

39. Il est inutile de se plaindre qu'on est incompris. On est incompris dès qu'on se met à écrire et à publier. — Julien Green

40. Voyager, c'est bien utile, ça fait travailler l'imagination. — Céline

41. Je sens mon cœur et je connais les hommes. Je ne suis fait comme aucun de ceux que j'ai vus; j'ose croire n'être fait comme aucun de ceux qui existent. — J.-J. Rousseau

42. Le mot «connaître» appliqué aux êtres m'a toujours fait rêver (*ponder*). Je crois que nous ne connaissons personne. — Malraux

43. Le plus beau triomphe de l'écrivain est de faire penser ceux qui peuvent penser. — Delacroix

44. Chaque pensée est une exception à une règle générale qui est de ne pas penser. — Valéry

45. La liberté politique dans un citoyen est cette tranquillité d'esprit qui provient de l'opinion que chacun a de sa sûreté; et pour qu'on ait cette liberté, il faut que le gouvernement soit tel qu'un citoyen ne puisse pas craindre un autre citoyen. — Montesquieu

46. L'homme qui publie un livre dont personne ne parle est toujours un peu ridicule. — Julien Benda

47. Les philosophes reconnaissent quatre vertus principales dont ils font dériver toutes les autres. Ces vertus sont la justice, la tempérance, la force et la prudence. — Chamfort

48. Le désavantage de ne pas connaître ce grand M. X est richement compensé par l'avantage de ne pas l'entendre parler.

49. Étienne de Silhouette était, en 1759, contrôleur général des finances. Il voulait réaliser des économies. Ses ennemies

l'ont ridiculisé en donnant son nom aux dessins qui n'ont
que des contours.

50. Sainte-Beuve appelle Molière «le génie poétique le plus
complet et le plus plein que nous ayons eu en français».

51. M . . . me disait un jour plaisamment (*jokingly*), à propos
des femmes et de leurs défauts: Il faut choisir, d'aimer les
femmes ou de les connaître; il n'y a pas de milieu. —
Chamfort

52. On faisait entendre à un homme d'esprit qu'il ne connaissait pas bien la cour (*royal court*). Il répondit: On
peut être très bon géographe sans être sorti de chez soi.
—Chamfort

53. Montaigne dit: «Je suis moi-même la matière de mon
livre.» Il va donc nous parler longuement de lui dans les
Essais, de son tempérament, de ses sentiments, de ses
idées, des événements de sa vie. Et pourtant son livre ne
5   ressemble nullement aux *Confessions* de Rousseau, aux
épanchements (*outpourings*) des romantiques: Montaigne
s'analyse avec une parfaite lucidité, sans indulgence comme
sans sévérité excessive. Il ne se donne pas pour un être
exceptionnel, solitaire et fatal; autant qu'un homme peut
10   le faire, il se considère objectivement, comme il observerait
tel (*anyone*) de ses semblables. Pas de confidences lyri-
ques ou sentimentales, [simplement] les notations d'un
analyste pénétrant et d'un moraliste qui désire se connaître. Son but n'est pas l'exaltation du moi, mais la
15   conquête de la sagesse. Nous le suivons dans ses recherches, ses hésitations, ses progrès, qui sont aussi les nôtres.
S'il se peint lui-même, c'est qu'il se connaît mieux qu'aucun autre être, mais il croit que son cas individuel a la
valeur d'un exemple, car «chaque homme porte la forme
20   entière de l'humaine condition». — *XVIe Siècle*, Lagarde
et Michard (Reprinted by permission of BORDAS, ÉDITEUR)

54. Les personnes qui m'ont dit ne rien se rappeler des
premières années de leur enfance m'ont beaucoup surpris.
Pour moi, j'ai gardé de vifs souvenirs du temps où j'étais

un très petit enfant. Ce sont, il est vrai, des images isolées, mais, qui, par cela même, ne se détachent qu'avec plus 5 d'éclat sur un fond obscur et mystérieux. Bien que je sois encore assez éloigné (*far away*) de la vieillesse, ces souvenirs, que j'aime, me semblent venir d'un passé infiniment profond. Je me figure qu'alors le monde était dans sa magnifique nouveauté et tout revêtu (*covered*) de fraîches 10 couleurs. Si j'étais un sauvage, je croirais le monde aussi jeune ou, si vous voulez, aussi vieux que moi. Mais j'ai le malheur de n'être point un sauvage. J'ai lu beaucoup de livres sur l'antiquité de la terre et l'origine des espèces et je mesure avec mélancolie la courte durée des individus à 15 la longue durée des races. — *Souvenirs d'enfance*, A. France (Reprinted by permission of CALMANN-LÉVY ÉDITEURS)

◄§ PART 7

53. IMPERSONAL il

The pronoun **il** is often used impersonally with various meanings. It may be translated by *it* (**il s'agit de**, *it is a question of, it concerns*) or *one* (**il faut**, *one must, it is necessary*) or *there* (**il existe**, *there exists, there is, there are*) or is not translated at all:

> **Que se passe-t-il?**
> *What is going on?*
> **Il est venu un monsieur.**
> *A gentleman came.*
> (*There came a gentleman.*)

Basic Vocabulary

il est *there is* or *there are* (stylistically used for il y a)
il importe *it is important*

il reste *there remains*
il vient *there comes*
il se produit *there is produced*

152

il se trouve (il arrive) *it happens*

il se peut (il est possible) *it is possible*

il paraît (il semble) *it appears, it seems*

il est heureux *it is fortunate*

il en est ainsi *it is so*

il en est de *the same thing is true about*

il y va de . . . . . . *is at stake*

Translate

1. De quoi s'agit-il? — Il s'agit d'apprendre quelque chose en apprenant à lire le français.
2. Il est heureux qu'il n'ait pas fait cela.
3. Il reste à démontrer que les ignorants sont heureux.
4. Je le regrette, mon ami, mais il se trouve que je n'ai pas d'argent sur moi.
5. Il a dû (*had to*) le faire. Il y allait de sa vie.
6. Il semble que vous ayez raison, mais il n'est pas clair qu'elle ait tort. Il en est ainsi.
7. Est-il arrivé quelque chose pour moi?
8. Il lui arrive souvent, à notre monsieur X, d'affirmer des choses dont il est fort ignorant.
9. Il se peut bien que vous l'ayez dit.
10. Il est des jours où il ne se sent pas bien.
11. Il en est de la liberté comme de la santé. Qui (*He who*) en a moins l'estime davantage.
12. Il importe de détruire ces idées-là.
13. Nous n'avons qu'un honneur, il est tant de maîtresses. — Corneille
14. Il m'importe peu que nos voisins (*neighbors*) qui habitent par delà (*beyond*) nos montagnes aient de meilleure musique que nous, et de meilleurs tableaux, pourvu que nous ayons des lois sages et humaines. — Voltaire
15. Pour commencer par le second point, disons qu'aucun caractère précis ne distingue la plante de l'animal. Les essais tentés pour définir rigoureusement les deux règnes

ont toujours échoué (*failed*). Il n'est pas une seule
5   propriété de la vie végétale qui ne se soit retrouvée, à
quelque degré, chez certains animaux, pas un seul trait
caractéristique de l'animal qu'on n'ait pu observer chez
certaines espèces, ou à certains moments, dans le monde
végétal. — *L'Évolution créatrice*, H. Bergson (Reprinted
10   by permission of the PRESSES UNIVERSITAIRES DE FRANCE)
16. Dans le travail intellectuel court et intense, nous con-
statons qu'il se produit une constriction des vaisseaux
périphériques, spécialement dans la main; et cette action
est capable de relever la pression [du sang]; seulement,
5   c'est une action qui est généralement courte; elle se produit surtout au début du travail intellectuel, et elle cesse
quand le travail intellectuel dure encore. — *La Fatigue
intellectuelle*, Binet et Henri (Reprinted by permission of
ALFRED COSTES, ÉDITEUR)

Basic Vocabulary

au dehors *outside*	**au dedans** *within, inside*
cependant *however,*	**et ... et** *both ... and*
nevertheless	**espérer**[1] *to hope*

Translate

1. selon lui, selon moi, il aurait besoin de, cependant il paraît
   que, au dedans ou au dehors?
2. Une des façons laudatives très ordinaires à notre temps est
   de dire à quelqu'un qui vieillit: «Jamais votre talent n'a été
   plus jeune.» Ne les écoutez pas trop, ces flatteurs; il vient
   toujours un moment où l'âge qu'on a au dedans se trahit
5   au dehors. Cependant il est, à cet égard, il faut le reconnaître, de grandes diversités entre les talents et selon les
   genres. En poésie, au théâtre, en tout comme à la guerre,

---

[1] See Appendix D, p. 265 for changes in the accent.

les uns n'ont qu'un jour, une heure brillante, une victoire
qui reste attachée à leur nom et à quoi le reste ne répond
pas. — Sainte-Beuve   10
3. Il n'est pas au pouvoir de l'homme de créer une loi qui
n'ait besoin d'aucune exception. L'impossibilité sur ce point
résulte également et de la faiblesse humaine, qui ne saurait
tout prévoir, et de la nature même des choses dont les unes
varient au point de sortir par leur propre mouvement du 5
cercle de la loi, et dont les autres . . . ne peuvent être saisies
par un nom général qui ne soit pas faux dans les nuances.
— Joseph de Maistre

54. falloir (*to be necessary, must, have to*) AND pleuvoir (*to rain*)

The verbs **falloir** and **pleuvoir** are impersonal—that is to say,
they are used only in the third person singular and always with
the impersonal pronoun **il.**

The irregular forms of **falloir** are:

Present
il faut

Future (and conditional)
il faudra (il faudrait)

Present subjunctive
qu'il faille

The irregular forms of **pleuvoir** are:

Present
il pleut

Past participle
plu

Past definite
il plut

Future (and conditional)
il pleuvra (il pleuvrait)

Translate

1. il fallait, il faudrait, il a fallu, il avait fallu, faudra-t-il?
quoiqu'il faille, il aurait fallu, il faut, il fait, afin qu'il faille
2. il pleut, il pleuvait, il pleuvra, pourvu qu'il ne pleuve pas,
il a plu, il avait plu, il pleuvrait, il plut, il aura plu

55. USES OF **falloir**

1. **Falloir** may be followed by an infinitive, or **que** and the
subjunctive:

   Il vous faut partir.
   Il faut que vous partiez. } *You must leave.*

2. When **falloir** is followed by an infinitive, without an
indirect object, its meaning is generally one of indefinite
application (does not apply to anyone in particular):

   Il faut manger pour vivre.
   One must eat (it is necessary to eat) to live.

3. When used negatively, **falloir** usually means *must not*:

   Il ne faut pas voler.
   One must not steal.

   (*It is not necessary* is expressed by **il n'est pas nécessaire**.)

4. When followed by expressions of time, measure, price,
etc., **falloir** may also mean *to need, must have, it takes*.

   Il me faut une nouvelle robe.
   I need (I must have) a new dress.

Il nous faut de l'argent pour aller au théâtre.
We need money to go to the theater.

Il ne vous faudra qu'une heure pour faire cela.
It will take you only an hour to do that.

5. Observe the idiom **s'en falloir** (**il s'en faut, il s'en fallait,** etc.), *to lack.*

Il s'en faut de beaucoup qu'il soit un bon artiste.
He is far from being a good artist (lit., *There is lacking a great deal* . . .).

Translate

1. Il faut que je vende mon auto. Il me faut de l'argent.
2. Combien de temps vous faut-il pour faire cela?
3. Nous ferons tout ce qu'il faudra.
4. Il nous a fallu partir tout de suite.
5. Avez-vous tout ce qu'il faut pour le pique-nique?
6. Mon ami, il faut beaucoup de temps pour décider ces choses-là.
7. Il s'en faut de beaucoup que nous soyons heureux.
8. Il s'en faut de beaucoup qu'elle soit satisfaite.
9. Il me faudrait un chapeau neuf.
10. Il ne faut rien négliger en ce monde. — Bayle
11. Il ne faut jamais rien dire avec un air d'autorité, ni montrer aucune supériorité d'esprit. — La Rochefoucauld
12. Dans la vie il ne faut jamais être la goutte d'eau (*drop of water*) qui fait déborder le vase. — Bourget
13. La véritable éloquence consiste à dire tout ce qu'il faut, et à ne dire que ce qu'il faut. — La Rochefoucauld
14. La joie humaine, monsieur, est un sentiment curieux et impur: elle a toujours besoin de prendre appui sur (*rest upon*) des choses matérielles que l'on s'introduit dans l'estomac. Même quand la joie semble détachée de toutes ces bassesses (*base things*) il lui faut, si elle veut durer, 5

s'adjoindre des arguments digestifs. Il est rare qu'elle les
reconnaisse pour cause essentielle, mais elle cherche en eux
des confirmations, des renforcements, des conclusions. Peut-
être n'y a-t-il pas là de quoi être honteux.[1] C'est bien
10   naturel aux bêtes intempérantes que nous sommes. Fouillez
(*search*) vos souvenirs et voyez si vous n'avez pas éprouvé
le besoin de souligner (*underline*) vos meilleurs moments
en associant à votre bonheur quelque vive satisfaction de
la langue et du ventre. C'est comme ça! — *La Confession*
15   *de minuit*, Duhamel (Reprinted by permission of the
MERCURE DE FRANCE)

56. y AND en

a. The pronominal adverb **y** (*there*) is equivalent to the
preposition **à, dans, sur,** etc., plus a pronoun meaning *it*
or *them*. It has therefore various translations such as
there, to it, at it, in it, on it, etc. Its position in the sentence is usually before the verb (the auxiliary in compound tenses), but it follows in the imperative *affirmative:*

> (**au concert**):   **Y étiez-vous aussi?**
>   *Were you there too?*
> (**Voici la liste**): **Ajoutez-y des bananes.**
>   *Add some bananas to it.*

b. **En** is equivalent to the preposition **de** (*of, from, with*)
plus a personal pronoun meaning *it* or *them*. Its meanings
are *of it, of them, some, any, from there,* etc.

> **Il vient de Chicago. J'en viens aussi.**
> *He comes from Chicago. I come from there too.*

---

[1] **Peut-être . . . honteux,** *Perhaps there is no reason for being ashamed
of it.* **De quoi** means, literally, *of what;* the construction will be explained
later.

Avez-vous des amis ici? J'en ai.
Have you any friends here? I have some (of them).

Note:

1. In modern French, **en** refers to people only in cases similar to the last example (**y** never does).

Compare:

Je me souviens de lui or **d'elle** or **d'eux,** etc.
I remember him or *her* or *them* (people), etc.
Je m'en souviens.
I remember it or *them* (things).

2. When **y** or **en** is a contraction of a preposition which is not translated into English (**s'attendre à,** *to expect;* **se servir de,** *to use;* etc.), **y** or **en** must be translated as if it were a direct object:

> (**Il l'a fait**) : **Je m'y attendais.**
>   *I expected it.*
> (**la valise**) : **Il s'en sert.**
>   *He uses it.*

3. The **en** of **s'en aller** is not to be translated. This verb means *to go away* and is conjugated like **aller** (**il s'en ira,** *he will go away.*)

4. Before a noun **en** may mean *like a.*

Il agit en homme.   *He acts like a man.*

Basic Vocabulary

penser à (or **songer à**) *to think of* (= *to have one's mind on*)

penser de *to think of* (= *to have an opinion about*)

croire à *to believe in*

réfléchir à *to reflect on, to think carefully about*

entendre parler de *to hear about*

se souvenir de *to remember*

assister à *to be present
at, to attend, to wit-
ness*
s'intéresser à *to be in-
terested in*
tenir à *to insist upon,
to be anxious to*

douter de *to doubt*
se douter de *to suspect*
convenir de *to agree*
échapper à *to escape from*
se passer de *to get along
without* (but: se passer *to
happen*)

Translate

1. je m'en vais, elle s'en est allée, vous en allez-vous? nous
   nous en irons, allons-nous-en, vous vous en allez, ne vous
   en allez pas, ils s'en iraient, ils s'en allaient, s'en vont-ils?
   elles s'en étaient allées
2. Alors, avez-vous réfléchi à la proposition que je vous ai
   faite? — J'y ai réfléchi mais je ne puis pas l'accepter.
3. D'ordinaire il se sert de son auto. Aujourd'hui il ne s'en
   est pas servi.
4. Autrefois presque tous les enfants croyaient aux revenants
   (*ghosts*). Aujourd'hui on n'y croit plus.
5. Nous parlions du talent de ce monsieur. — C'est la première fois que j'en entends parler!
6. Vous dites qu'il ne pouvait consentir à cela, et moi, je
   vous dis qu'il pouvait y consentir.
7. Voilà de l'argent. Tu en auras besoin.
8. C'est un auteur qui s'intéresse surtout à l'influence
   démoralisante de l'argent. Ne saviez-vous pas qu'il s'y
   intéressait?
9. Ils parlaient de Roger Dubois. Vous souvenez-vous de lui?
10. Vous souvenez-vous de l'enthousiasme qu'il mettait à
    raconter ses aventures? — Si je (*Do I*) m'en souviens!
11. Elle ne voulait pas y aller, mais elle en est revenue avec
    beaucoup d'admiration.
12. Sait-il jouer du piano? — J'en doute.
13. Vous convenez, j'espère, qu'il ne pouvait pas le faire. —
    J'en conviens.

14. Ah! je m'en souviendrai, de cet exercice!
15. Avez-vous assisté à la conférence de M. Leblanc? — J'y ai assisté.
16. Avez-vous assisté à ses conférences? — J'y ai assisté.
17. Ils s'en sont allés sans dire adieu. Nous nous y attendions.
18. Je tiens à vous expliquer l'affaire. — Vous y tenez? Allez-y! (*Go to it!*)
19. La nature n'a pas donné trop de talent à votre monsieur X, et je crois qu'il s'en doute un peu.
20. La langue invite à se réunir; elle n'y force pas. — Renan
21. Nous sommes ici [dans cette salle] par la volonté du peuple et nous n'en sortirons que par la force des baïonnettes. — Mirabeau
22. La vérité ne fait pas autant de bien dans le monde que ses apparences y font de mal. — La Rochefoucauld

Basic Vocabulary

la **tête** *head*	se **méprendre** (like **prendre**) *to be mistaken*
dire que non *to say no*	
jeter[1] *to throw*	le **verre** *glass*
lointain *distant, far away*	le **lendemain** *the following day*
éclater *to burst out*	
la **fenêtre** *window*	le **feu** *fire*
la **pierre** *stone*	**rester** *to remain, to stay*

Translate

1. des jours lointains, jeter un regard, ce qui se passe, un avenir lointain, perdre la tête, afin qu'il ne se méprenne pas, il jette, nous jetterons, elle jeta un cri, jeter une pierre

---

[1] Some forms of **jeter** are spelled with double **t** (see Appendix D, pp. 265–66).

2. Ceux qui demeurent dans des maisons de verre ne jettent pas de pierres, s'ils sont sages.

3. Le garçon n'est pas allé à l'école aujourd'hui. Il est resté à la maison parce qu'il avait mal à la tête.

4. La Révolution Française éclata en 1789.

5. Maintenant je vais vous raconter ce qui se passait cette année-là.

6. *Camille:* Connaissez-vous le cœur des femmes, Perdican? Êtes-vous sûr de leur inconstance, et savez-vous si elles changent réellement de pensée en changeant quelquefois de langage? Il y en a qui disent que non. Sans doute, il
5   nous faut souvent jouer un rôle, souvent mentir; vous voyez que je suis franche; mais êtes-vous sûr que tout mente dans une femme, lorsque sa langue ment? Avez-vous bien réfléchi à la nature de cet être faible et violent, à la rigueur avec laquelle (*which*) on le[1] juge, aux principes qu'on lui[1] im-
10   pose? Et qui sait si, forcée à tromper par le monde, la tête de ce petit être sans cervelle (*brain*) ne peut pas y prendre plaisir et mentir quelquefois par passetemps, par folie, comme elle ment par nécessité? — Musset

7. Un jour que Walter Raleigh, enfermé (*locked up*) à la Tour de Londres, travaillait, selon sa coutume, à la seconde partie de son *Histoire du Monde*, une rixe (*riot*) éclata sous sa fenêtre. Il alla regarder ces gens qui se querellaient,
5   et quand il se remit au travail, il pensait les avoir très bien observés. Mais le lendemain, ayant parlé de cette affaire à un de ses amis qui y avait été présent et qui même y avait pris part, il fut contredit par cet ami sur tous les points. Réfléchissant alors à la difficulté de connaître la vérité sur
10   des événements lointains, quand il avait pu se méprendre sur ce qui se passait sous ses yeux, il jeta au feu le manuscrit de son histoire. — *Crainquebille*, A. France (Reprinted by permission of CALMANN-LÉVY, ÉDITEURS)

---

[1] Refers to **être**, mentioned in the same sentence, but may be translated as if it referred to **femme**.

57. naître (*to be born*) AND mourir (*to die*)

Present

nais	meurs
nais	meurs
naît	meurt
naissons	mourons
naissez	mourez
naissent	meurent

Imperfect

naissais   (regular)

Past participle

né   mort

Past definite

naquis   mourus

Future

(regular)   mourrai

Present subjunctive

naisse   meure

Note:

Like **naître** is conjugated **renaître**, *to be born again,* and like **mourir, se mourir,** *to be dying.*

Translate

1. je meurs, nous mourons, nous mourrons, il est né, ils naquirent, il est mort hier, elles sont mortes, ils sont nés, il mourait, il mourrait, il naissait, quoiqu'il meure, pour qu'il naisse, il renaît
2. Molière naquit en 1622 et mourut en 1673.
3. Le prophète a dit qu'un enfant naîtrait.
4. Pauvre homme! on dit qu'il se meurt.

5. L'homme est né libre, et partout il est dans les fers (*chains*). — J.-J. Rousseau
6. L'enthousiasme naît d'un objet de la nature. — Diderot
7. Les meilleures lois naissent des usages. — Joubert
8. L'historien Michelet a écrit au sujet de Jeanne d'Arc: «Souvenons-nous toujours, Français, que la patrie, chez nous, est née du cœur d'une femme, de sa tendresse et de ses larmes (*tears*), du sang qu'elle a donné pour nous.»
9. L'arbitre suprême de la langue française est l'Académie Française. Au XVIIe siècle *se mourir* était synonyme de *mourir*. Vaugelas, grammairien de ce temps-là, étant très malade, dit un jour à un ami qui était allé lui faire visite: «Je meurs ou je me meurs; l'Académie n'a pas encore décidé.»

5

Basic Vocabulary

qu'est-ce que *what is*	à mesure que *as, in proportion as*
car *for*	
or *now* (noun: *gold*)	à côté de *beside*
d'ailleurs *besides, moreover*	le voisin (la voisine) *neighbor*
manger[1] *to eat*	remarquer *to notice, to observe; to remark*
ou . . . ou *either . . . or*	

Translate

1. il mangeait, mangeant, à côté de moi, d'ailleurs, remarquez ceci, à mesure que, nos voisins, elle avait remarqué, qu'est-ce qu'un roman?
2. Est-ce que les hommes naissent égaux?
3. On dit que l'ambition ne meurt qu'avec l'ambitieux.
4. Une vieille question: Faut-il manger pour vivre ou faut-il vivre pour manger?

[1] Keeps the e before a or o (**Nous mangeons**).

5. Nous avons peur qu'elle ne meure (SECTION 52).
6. Elle est morte très jeune.
7. Il me faut un nouveau chapeau.
8. Il m'a fallu partir tout de suite.
9. Que faut-il ajouter au menu? — Ajoutez-y des asperges (*asparagus*).
10. Prends ces quelques dollars. Tu en auras besoin.
11. Les Nations unies cherchent à faire cesser toutes sortes de désordres dans le monde. Quelquefois elles y réussissent.
12. Si vous ne pensez pas trop aux questions qu'on va vous poser à l'examen, vous y répondrez mieux. Allons (*come*), n'y pensez pas trop.
13. Ce monsieur n'a pas trop de talent et je crois qu'il s'en doute.
14. On n'imagine pas combien il faut d'esprit pour n'être jamais ridicule. — Chamfort
15. TRAVAILLEZ. Je vous jure, au nom de ma paresse (*laziness*), qu'il n'y a que ça de vrai! J'en suis *sûr*. — Renard
16. La vie peut se passer de logique, la littérature, pas. — Renard
17. Jamais de concessions: D'ailleurs, il est très difficile de savoir quelles concessions il faut faire. — Tristan Bernard
18. On n'échappe pas au commerce américain. — Céline
19. Il n'aime plus cette personne qu'il aimait il y a dix ans. Je crois bien: elle n'est plus la même, ni lui non plus. — Pascal
20. Qu'est-ce que l'histoire? La représentation écrite des événements passés. Mais qu'est-ce qu'un événement? Est-ce un fait quelconque? Non pas! me dites-vous, c'est un fait notable. Or, comment l'historien juge-t-il qu'un fait est notable ou non? Il en juge arbitrairement, selon son 5 goût et son caprice, à son idée, en artiste, enfin! car les faits ne se divisent pas, de leur propre nature, en faits historiques et en faits non historiques. D'ailleurs un fait

est quelque chose d'extrêmement complexe. L'historien
10   représentera-t-il les faits dans leur complexité? Non, cela
est impossible. Il les représentera dénués (*stripped*) de la
plupart des particularités qui les constituent, par conséquent mutilés, différents de ce qu'ils furent. — *Le Crime
de Sylvestre Bonnard*, A. France (Reprinted by permission
15   of CALMANN-LÉVY, ÉDITEURS.)

58. THE RELATIVE PRONOUNS

qui *who, which, that* (subject of verb; see also Note 1, below.)
que *whom, which, that* (object of verb)
ce qui *what, that which* (subject of verb)
ce que *what, that which* (object of verb)
dont *whose, of whom, of which* (sometimes *in which*)
quoi *what*
lequel (**lesquels, laquelle, lesquelles**), *who, whom, which, that*
où (= **à, dans, sur,** etc. plus a relative) *where, when, to which,
at which, on which,* etc.

Note:

1. The relative pronoun **qui** means *whom* when it fol-
    lows a preposition. (**Voici l'homme avec qui je suis
    venu.**)

2. The **i** of **qui** is never dropped but **que** is written **qu'**
    before a vowel or silent **h**. (**Voici les fruits qu'il a
    apportés hier. C'est la région qu'habitent ces bêtes.**
    In the last sentence, what is the subject of **habitent?**)
    This applies also to the compound relatives **ce qui** and
    ce que.

3. **Dont** is a contraction of **de** plus a relative pronoun.
    In a construction, therefore, where **de** is part of the
    expression (**jouir de, se servir de, avoir besoin de**)

do not look for the **de** but translate **dont** so as to make good English:

Les privilèges dont elles jouissent sont nombreux.
The privileges which they enjoy are many.
Voilà ce dont j'ai besoin.
That's what I need.

4. **Lequel, lesquels,** and **lesquelles** (not **laquelle**) combine with the prepositions **à** and **de** giving:

auquel		duquel
auxquels	and	desquels
auxquelles		desquelles

5. Caution:
Notice very carefully that, in the clause which follows a relative pronoun, a noun subject frequently comes *after* its verb. When this occurs, you should
a. Translate the verb which follows the relative pronoun *after* you have translated the subject, or
b. If possible, translate the verb passively.

Examine carefully:

1. **Nous étudions les découvertes *que fit Galilée.***
We are studying the discoveries which Galileo made (OR made by Galileo).

2. **Il a parlé de *ce qu'ont accompli les Romains.***
He spoke of what the Romans accomplished (OR what was accomplished by the Romans).

3. **Les privilèges *dont jouissent les femmes* sont nombreux.**
The privileges which women enjoy *are numerous* (OR enjoyed by women . . .).

4. **Voilà le restaurant *où travaille notre ami.***
There is the restaurant where our friend works.

Translate

1. Il cherche le livre que lui a donné Hélène.
2. Elle ne sait pas où donner de la tête (ce qu'il faut faire).
3. Nous parlions de la jeune fille que Paul a connue sur le bateau (*boat*).
4. Avez-vous tout ce dont vous avez besoin?
5. Voilà le jeune homme dont je vous parlais ce matin.
6. Ce sont les outils (*tools*) dont nous nous servons.
7. Il ne faut pas juger les gens par ce qu'ils disent mais par ce qu'ils font.
8. Voilà le restaurant où travaille notre ami X.
9. Ceux qui ne se sont jamais trompés n'ont jamais rien fait.
10. (Note use of **qui** to mean *he who, those who,* in proverbial expressions):
    a. Qui ne risque rien, n'a rien.
    b. Qui cherche, trouve.
11. Le seul moyen que justifie la fin c'est le moyen juste (*right*).
12. Le drame est un miroir où se réfléchit la nature. — Hugo
13. C'est surtout dans la spiritualité des idées que consiste la poésie. — Joubert
14. La modération est une crainte de tomber dans l'envie et dans le mépris (*scorn*) que méritent ceux qui s'enivrent de (*become intoxicated with*) leur bonheur. — La Rochefoucauld
15. L'humilité n'est souvent qu'une feinte soumission dont on se sert pour soumettre les autres: c'est un artifice de l'orgueil qui s'abaisse pour s'élever; et, bien qu'il se tranforme en mille (1 000) manières, il n'est jamais mieux déguisé et plus capable de tromper que lorsqu'il se cache sous la figure de l'humilité. — La Rochefoucauld
16. Délégués des nations étrangères . . . vous m'apportez la joie la plus profonde que puisse éprouver un homme qui croit invinciblement que la science et la paix triomphe-ront de l'ignorance et de la guerre, que les peuples

s'entendront (*will agree*), non pour détruire, mais pour 5
édifier, et que l'avenir appartiendra à ceux qui auront
le plus fait pour l'humanité souffrante . . . — *Discours de
Pasteur*

17. Eh bien! en revenant au roman, nous voyons également
que le romancier est fait d'un observateur et d'un expérimentateur. L'observateur chez lui donne les faits tels
qu'il les a observés, pose le point de départ, établit le
terrain solide sur lequel vont marcher les personnages et 5
se développer les phénomènes. Puis l'expérimentateur
paraît et institue l'expérience, je veux dire fait mouvoir
les personnages dans une histoire particulière . . . *Le Roman
expérimental,* — E. Zola (Reprinted by permission of
EUGÈNE FASQUELLE ÉDITEUR)   10

59. asseoir (*to seat*) AND plaire (*to please*)

a. Some tenses of the verb **asseoir** have two common sets of
spellings:

Present

assieds	or	assois
assieds		assois
assied		assoit
asseyons		assoyons
asseyez		assoyez
asseyent		assoient

Imperfect

asseyais   or   assoyais

Past participle

assis

Past definite

assis

Future
assiérai   or   **assoirai**

Present subjunctive
asseye   or   **assoie**

Note:

1. The past participle of **asseoir** is often used after the
   verb **être** (*to be*):

   > **Il est assis.**
   > *He is sitting* (= *seated*).
   > **Elle était assise.**
   > *She was sitting* (= *seated*).

2. Like **asseoir** are conjugated **rasseoir**, *to seat again*,
   s'asseoir, *to sit down*, and **se rasseoir**, *to sit down again*.

Translate

1. il assied l'enfant, il s'assied, il est assis, il s'est assis, ils
   s'assoient, ils sont assis, elles sont assises, asseyez-vous, ne
   nous asseyons pas, bien qu'ils soient assis, il s'assit, il se
   rassit

2. il s'asseyait, j'asseyais le garçon, rasseyez le garçon, j'ai
   rassis l'enfant, il s'est rassis, assoyez-le, je m'assiérai, il se
   rassiérait, pour qu'elle s'asseye

b. The irregularities of **plaire** are:

Present

plais	plaisons
plais	plaisez
plaît	plaisent

Imperfect
plaisais

Past participle
plu (same spelling as past participle of **pleuvoir**)

Present subjunctive
plaise

Note:

Like **plaire** is conjugated **se taire** *to be silent, to hold one's tongue* (but 3rd singular of present indicative has no circumflex accent).

Translate

1. elle se tait, taisons-nous, tais-toi, nous nous taisons, nous nous taisions, il s'est tu, elle ne s'était pas tue, il se taira, ils se sont tus, pour qu'il se taise, bien qu'il plaise à la jeune fille, il se tut

2. Dites, Paul, est-ce que la représentation vous a plu?

3. Cela ne plaît pas aux enfants. Non, messieurs, cela ne leur plaît pas du tout.

4. Quel temps! Il a plu pendant trois jours.

5. Asseyez l'enfant, s'il vous plaît.

6. Elle s'assiérait si vous vous asseyiez.

7. Il assit le petit prince sur le trône.

8. Qui se tait, consent. — *Proverbe*

9. C'est une grande misère (*misfortune*) que de n'avoir pas assez d'esprit pour bien parler, ni assez de jugement pour se taire. — La Bruyère

10. *Zaïre*, tragédie de Voltaire, ne fut point appréciée du public à sa première représentation. L'auteur était fort mécontent de cela. Comme il s'en allait tout pensif, il rencontra (*met*) Piron, à qui il se plaignit du peu de goût et de l'injustice de ce même public; mais voulant cacher 5 en quelque sorte tout le dépit qu'il éprouvait il ajouta: «Il est vrai que ma pièce n'a pas plu, mais au moins elle

n'a pas été sifflée (*hissed*). — Comment veux-tu (*expect*),
mon ami, que l'on siffle quand on bâille (*yawn*)?» lui
10   répliqua Piron.

60. THE IMPERATIVE IN THE THIRD PERSON

There is no real imperative in the third person in French. The
forms of the present subjunctive, introduced by **que**, are used
for the imperative:

Qu'il parte.   *Let him leave.*
Qu'ils soient ici à midi.   *Let them be here at noon.*

Basic Vocabulary

la connaissance *acquain-*   **le cahier** *notebook*
  tance, knowledge   **épuiser** *to exhaust*
ailleurs *elsewhere*   **la jambe** *leg*
d'ailleurs *besides, more-*   **la chaleur** *heat*
  over

Translate

1. Qu'il le dise. Qu'elle s'en aille. Qu'ils le craignent. Qu'il
   mette ma cravate. Qu'il apprenne les verbes.
2. Connaissez-vous notre monsieur X? — J'ai déjà fait sa connaissance. D'ailleurs je le connaissais avant de faire sa
   connaissance.
3. Que personne ne sorte!
4. Alors, croyez-vous qu'il faille chercher ailleurs?
5. Que la nature (*human nature*) donc soit votre étude
   unique. — Boileau
6. Mais pour lui (*to him*, i.e., to man) présenter un autre
   prodige aussi étonnant, qu'il recherche dans ce qu'il connaît les choses les plus délicates. Qu'un ciron (*mite*) lui

offre dans la petitesse de son corps des parties incompa-
rablement plus petites, des jambes avec des jointures, des 5
veines dans ces jambes, du sang dans ces veines, des humeurs dans ce sang, des gouttes (*drops*) dans ces humeurs,
des vapeurs dans ces gouttes; que, divisant encore ces
dernières choses, il épuise ses forces en ces conceptions, et
que le dernier objet où il peut arriver soit maintenant celui 10
de notre discours; il pensera peut-être que c'est là l'extrême
petitesse de la nature. Je veux lui faire voir là-dedans un
abîme (*abyss*) nouveau. Je lui veux peindre non seulement
l'univers visible, mais l'immensité qu'on peut concevoir de
la nature, dans l'enceinte de ce raccourci (*within this* 15
epitome) d'atome. Qu'il y voie une infinité d'univers, dont
chacun a son firmament, ses planètes, sa terre, en la même
proportion que le monde visible; dans cette terre, des animaux, et enfin des cirons, dans lesquels il retrouvera ce que
les premiers ont donné. — Pascal   20

7. Quand, dans un homme, vous avez observé et noté un,
deux, trois, puis une multitude de sentiments, cela vous
suffit-il, et votre connaissance vous semble-t-elle complète?
Est-ce une psychologie qu'un cahier de remarques? Ce
n'est pas une psychologie, et, ici comme ailleurs, la recher- 5
che des causes doit (*must*) venir après la collection des
faits. Que les faits soient physiques ou moraux, il n'importe,
ils ont toujours des causes: il y en a pour l'ambition, pour
le courage, pour la véracité, comme pour la digestion, pour
le mouvement musculaire, pour la chaleur animale. — *Intro-* 10
duction à la littérature anglaise, Taine

61. battre (*to beat*), boire (*to drink*), bouillir (*to boil*), AND courir (*to run*)

The verb **battre**, *to beat*, loses one **t** in the present indicative
singular: **bats, bats, bat.**

The irregularity of **boire**, *to drink*, consists in the change of **oi** to **u** in many of its forms (see exercise, below).

Bouillir, *to boil*, loses the **ill** in the present indicative singular.

The future (and cond.) of **courir**, *to run*, has a double **r**. The other forms are easily recognized.

Translate

1. je bats, nous battons, nous nous battons (*fight*), ils se battent, ils se battront, qu'ils se battent, ne battez pas, ne vous battez pas, il combattrait
2. il boit, vous buvez? ils ne boivent pas, qu'il boive ou non, buvant, je boirai, j'ai bu, il but, il avait bu, boirait-il? je buvais
3. L'eau bout; elle bouillira. Je fais bouillir de l'eau.
4. il courait, il courrait, je cours, vous courez, vous courrez, courons, courant, il courut, ils coururent, qu'il coure, tu cours? cours!

Basic Vocabulary

il y a (+ expression of time) *ago*
la main *hand*

arrière (**derrière**) *behind*
puissant *powerful*

Translate

1. il y a trois jours, un homme bien puissant, un homme impuissant, derrière la table, un regard en arrière, la main droite, la main gauche, il y a quelques jours
2. Est-ce que vous buvez toujours?
3. Je ne veux pas que tu coures, mon enfant.
4. Est-ce que le café bout? — Non, maman, pas encore.
5. Il buvait il y a quelques années. Maintenant il ne boit plus.
6. La meilleure façon de louer (*praise*), c'est de louer avec les mains. — Molière

7. Vous n'avez, sans doute, jamais entendu parler des «lam-
padéphories» (*torch races*). Voici ce que c'était: Pour cette
solennité, des citoyens s'espaçaient, formant une sorte de
chaîne, dans Athènes. Le premier allumait un flambeau
(*torch*) à l'autel (*altar*), courait le transmettre à un second 5
qui le transmettait à un troisième, et ainsi, de main en
main. Chaque concurrent (*competitor*) courait, sans un
regard en arrière, n'ayant pour but que de préserver la
flamme qu'il allait pourtant remettre aussitôt à un autre.
Et alors dessaisi (*dispossessed*), arrêté, ne voyant plus qu'au 10
loin la fuite de l'étoilement (*flashing*) sacré, il l'escortait
du moins par les yeux, de toute son anxiété impuissante, de
tous ses vœux (*wishes*) superflus. On a reconnu dans cette
Course du Flambeau l'image même des générations de la
vie.—*La Course du flambeau*, Hervieu (Reprinted by per- 15
mission of the LIBRAIRIE ARTHÈME FAYARD)

✒ REVIEW 7

(SECTIONS 53–61)

Translate

1. il importe, il se trouve que, il reste à savoir, il paraît que, il m'arrive que, il vient un temps, il est heureux que, douter de, se douter de, faire la connaissance de
2. d'ailleurs, il y a quelques semaines, atteindre son but, une armée très puissante, selon eux, au dehors, des événements lointains, une belle main blanche, s'il vous plaît
3. ils s'en vont, allez-vous-en, elle s'en irait, il pleut, il pleuvra, nous jetons, elle jette, il avait fallu, elles sont nées, il faudra, ils sont morts, elle ne mourra pas, il naquit, ils naissent
4. je m'assieds, il s'assoit, il est assis, il s'est assis, asseyons-nous, il bat, je me bats, l'eau bout, il courait, il courrait, en buvant, ils boivent, avait-il bu? il éclata
5. Je conviens qu'il a tort. En convenez-vous?
6. Il ne faut pas que vous le craigniez.
7. Puis il jeta un regard en arrière.
8. Il vous est sans doute arrivé de connaître de telles personnes.

9. Il y va de son honneur. Il en est ainsi.
10. Je m'attendais bien à cela. Vous vous y attendiez aussi?
11. Voici ce qui se passait cette année-là.
12. Il s'en faut de beaucoup que l'ami X soit une personne charmante, ou même aimable.
13. Elle lui fait tourner la tête, je vous l'assure.
14. Cependant ce que vous lui avez dit n'est pas tout à fait vrai.
15. Avait-il vraiment besoin de cet argent-là? Vous dites que oui, et moi, je crois que non.
16. Qu'elle vienne tout de suite.
17. Il croit tout ce qu'il lit avec cette confiance que donne l'innocence.
18. Mon ami, il ne faut jamais s'abandonner au désespoir.
19. Il est bien des (beaucoup de) gens qui croient tout ce qu'ils lisent.
20. Il est heureux qu'ils ne viennent pas aujourd'hui.
21. La Maison Française à Madison est ouverte (*open*) à tous les étudiants qui s'intéressent à l'étude du français.
22. Eh bien, qu'il le fasse ou non, qu'importe?
23. Alors, avez-vous bien réfléchi aux conseils que je vous ai donnés? — J'y ai réfléchi un petit peu.
24. Je vous assure qu'il s'est produit en moi un changement inexplicable.
25. Je crois qu'il ne vous appartient pas de faire la critique de cet homme.
26. Paul jeta un cri, et elle éclata de rire (*laughing*).
27. Eh bien, alors, il faut chercher ailleurs.
28. Il a parlé en homme d'honneur.
29. Voici la cravate que m'a donnée Louise.
30. Quand ils parlent de ce temps-là, ils en parlent avec regret.
31. Le concert n'a pas plu à ma mère.
32. N'y avez-vous pas assisté, vous, à la représentation de la pièce?

33. Il faut apprendre à obéir pour savoir commander. — Proverbe

34. Il ne faut pas négliger les petites choses. — Proverbe

35. *Perdican*[1]: Tu as dix-huit (18) ans et tu ne crois pas à l'amour?
    Camille: Y croyez-vous, vous qui parlez? — Musset

36. La grande ambition du travailleur rural français est de devenir propriétaire. Il y consacre tous ses gains et il y réussit souvent.

37. Le bon sens est la chose du monde la mieux partagée (*shared*), car chacun pense en être si bien pourvu (*provided*) que ceux mêmes qui sont les plus difficiles à contenter en toute autre chose n'ont point coutume d'en désirer plus qu'ils en ont. — Descartes

38. J'étais à table à côté d'un homme qui me demanda si la femme qu'il avait devant lui n'était pas la femme de celui qui était à côté d'elle. J'avais remarqué que celui-ci ne lui avait pas dit un mot; c'est ce qui me fit répondre à mon voisin: Monsieur, ou il ne la connaît pas, ou c'est sa femme. — Chamfort

39. Je ne prends jamais ce qu'il est convenu d'appeler des «vacances». Mon vrai repos consiste à changer de travail. — Duhamel

40. Il n'y a pas d'idée tout à fait juste; il n'y a pas d'idée tout à fait fausse. — Anatole France

41. Les absents ont toujours tort. — Destouches

42. Rien n'est odieux aux gens médiocres comme la supériorité d'esprit. — Stendhal

43. Rien n'est éternel sauf, chez les hommes courageux, le goût de la liberté. — Salacrou

44. Le seul beau moment d'un ouvrage est celui où on l'écrit. — Vigny

---

[1] Main character in Musset's *On ne badine pas avec l'amour* (*No Jesting with Love*).

45. Le monde n'a jamais manqué de charlatans. — La Fontaine

46. Il est plus facile de changer la nature du plutonium que l'esprit du mal chez les hommes. — Einstein

47. Ce qui au monde vieillit le plus vite: la nouveauté. — Valéry

48. C'est des hommes et d'eux seulement qu'il faut avoir peur, toujours. — Céline

49. Voltaire faisait un jour l'éloge du savant médecin Haller. Quelqu'un lui dit: «Vous dites beaucoup de bien des œuvres (*works*) de M. Haller. Mais M. Haller dit beaucoup de mal des vôtres. — Il est possible, répliqua doucement Voltaire, que nous nous trompions tous les deux.» 5

50. Dans aucun État [des États-Unis], l'école secondaire n'est organisée exclusivement en vue de la préparation à l'université. Il peut exister ici ou là une école destinée uniquement à préparer aux études universitaires et il peut arriver qu'une ville décide de créer une ou deux écoles secondaires 5 spécialisées dans les études académiques, comme elle créerait des écoles secondaires techniques, commerciales ou professionnelles. Plus généralement, cependant, la possibilité d'étudier des matières autres que les branches académiques est offerte dans la même école, grâce à 10 l'établissement de programmes spéciaux dans les branches commerciales, industrielles, ménagères (*home economics*), agricoles et dans les travaux manuels. La répartition de ces différentes matières dans le programme est laissée au choix de chaque localité, à condition toutefois (*however*) que 15 les plans d'études locaux ne soient pas contraires à la politique générale adoptée par l'État. Vu l'accroissement (*In view of the increase*) du nombre des élèves dans les écoles secondaires, la tendance à ajouter (*add*) des matières qui ne rentrent pas dans le programme académi- 20 que s'accentue. Dans certains cas, des écoles séparées agricoles et professionnelles ont été établies sous la dépen-

dance de l'État, mais ces écoles de l'État sont très peu nombreuses. — *L'Admission aux écoles secondaires*

51. C'est se tromper que de croire qu'il n'y ait que les violentes passions, comme l'ambition et l'amour, qui puissent triompher des autres. La paresse (*laziness*), toute languissante qu'elle est, ne laisse pas (*doesn't fail*) d'en être souvent la maîtresse; elle usurpe sur tous les dessins et sur toutes les actions de la vie, elle y détruit et y consume insensiblement les passions et les vertus. — La Rochefoucauld

52. Les hommes naissent et demeurent libres et égaux en droits . . . ces droits sont la liberté, la propriété, la sûreté et la résistance à l'oppression. — *Déclaration des droits de l'homme et du citoyen, 1789*

↩ PART 8

62. INTERROGATIVE PRONOUNS

qui?
qui est-ce qui? } *who?* (subject of verb)

qui?
qui est-ce que? } *whom?* (object of verb or preposition)

que?
qu'est-ce que? } *what?* (object of verb)

qu'est-ce qui? *what?* (subject of verb)
lequel (lesquels, laquelle, lesquelles)? *which one(s)?*
quoi? *what?*
à qui? *whose?*
de qui? *whose?*
qu'est-ce que c'est? *what is it?*
Qu'est-ce que c'est que ceci (cela, la beauté, etc.)? *What is this (that, beauty, etc.)?*

Note:

1. Examine carefully, compare and contrast those interrogative pronouns whose grammatical function is

181

indicated above in parentheses. Notice particularly
the forms:

> qui est-ce qui
> qui est-ce que
> qu'est-ce que
> qu'est-ce qui

2. Remember that the **i** of **qui** is never dropped, but the
   e of **que** is replaced by an apostrophe when the **e**
   comes before a vowel or silent **h**:

   Qu'est-ce qui arrive?   *What is happening?*
   Qu'est-ce qu'il veut?   *What does he want?*

3. The shorter form of the interrogative pronouns meaning *whom* is followed by the inverted word order and
   the longer one by the normal word order:

   Qui regardez-vous?   } *Whom are you look-*
   Qui est-ce que vous regardez?   }   *ing at?*

4. What was said in the preceding note applies also to
   que and **qu'est-ce que**.

5. The forms of **lequel** combine with **à** and **de** just like
   the relative forms (SECTION 58, *Note 5*).

   Auquel?   *To which one?*
   Desquels?   *Of which ones?*

6. A **qui** denotes ownership, **de qui** denotes relationship
   or authorship:

   A qui est ce livre?
   Whose book is this? (Who owns it?)
   De qui est ce roman?
   Whose is this novel? (Who wrote it?)

Translate

1. Qui est ce monsieur?
2. Qui est-ce qui vous a dit cela?
3. Qui cherchez-vous?
4. Qui est-ce que vous cherchez?
5. A qui l'avez-vous apporté?
6. A qui est-ce que vous l'avez vendu?
7. De qui parlez-vous?
8. A quoi pensez-vous?
9. Que dites-vous?
10. Qu'est-ce que vous dites?
11. Qu'est-ce qui se passe?
12. De qui es-tu le fils, mon petit?
13. A qui est cette bicyclette?
14. Duquel de ces visiteurs parlez-vous?
15. Desquels parlez-vous?
16. Auquel de ces garçons l'as-tu donné?
17. A laquelle des deux femmes a-t-il parlé?
18. Qu'est-ce qui vous amuse?
19. Quelle robe allez-vous porter au bal?
20. Qu'est-ce que ça veut dire, *cherchez la femme?*
21. Qu'est-ce que c'est qu'un *gourmet?*
22. Quelle est la distinction entre *gourmet* et *gourmand?*
23. Qu'est-ce que c'est que la dignité?
24. Voici ce que c'est que la jalousie.
25. Maintenant je vais vous expliquer ce que c'est que l'amour platonique.
26. Quel bon livre! De qui est-il?
27. Eh bien, dites-moi maintenant auxquelles de ces dames vous avez parlé.
28. Car enfin qu'est-ce que[1] l'homme dans la nature? Un néant (*nothingness*) à l'égard de l'infini; un tout à l'égard

[1] Short for **qu'est-ce que c'est que.**

du néant; un milieu entre rien et tout. Infiniment éloigné
(*incapable*) de comprendre les extrêmes, la fin des choses
5 et leur principe sont pour lui invinciblement cachés dans
un secret impénétrable; également incapable de voir le
néant d'où il est tiré (*drawn*) et l'infini où il est englouti
(*engulfed*). — Pascal

63. envoyer (*to send*), **fuir** (*to flee*), AND **valoir** (*to be worth*)

Like most verbs ending in **-yer**, **envoyer**, *to send*, changes the
y to **i** in certain forms. In addition it has an irregular stem for
the future (and conditional), **enverr–**.

In some forms of **fuir**, *to flee, to run away*, the **i** changes to **y**.
The irregularities of **valoir**, *to be worth*, are as follows:

Present

vaux	valons
vaux	valez
vaut	valent

Future

vaudrai (Do not confuse with **voudrai** from **vouloir.**)

Present subjunctive

vaille

Basic Vocabulary

renvoyer (like **envoyer**)
to send away, to dis-
miss
s'enfuir (like **fuir**) to
flee, to escape
chanter to sing

valoir la peine de to be worth
while to
valoir mieux to be better
envoyer chercher to send for
la parole (spoken) word
prochain next

Translate

1. il envoie, vous envoyez, vous envoyiez, elle enverra, nous enverrions, ils envoyaient, envoyant, bien qu'il envoie, ils l'auront envoyé, nous enverrons

2. fuyant, il fuit, elle fuira, ils fuiront, ils fuirent, il vaut mieux, il vaudrait mieux, vaudra-t-il mieux? ils s'enfuirent, ils s'enfuyaient, fuyez!

3. Le temps fuit. Les heures s'enfuyaient. L'armée s'est enfuie. Les soldats se sont enfuis. S'est-il enfui? Où s'était-elle enfuie?

4. Il envoya chercher le médecin. Nous enverrons chercher le garçon. Envoyez-le chercher tout de suite.

5. Cela vaut trois cents dollars. Cela ne vaudra pas tant l'année prochaine.

6. Il n'a rien qui vaille.

7. Votre parole vaut votre signature.

8. Un service en vaut un autre.

9. La faiblesse qui conserve vaut mieux que la force qui détruit. — Joubert

10. Toutes les grandeurs de ce monde ne valent pas un bon ami. — Voltaire

11. Aujourd'hui ce qui ne vaut pas la peine d'être dit, on le chante. — Beaumarchais

12. Une idée ne vaut que pour la forme, et donner une forme nouvelle à une vieille idée, c'est tout l'art et c'est la seule création possible à l'humanité. — A. France.

13. Le mérite vaut bien la naissance. — Marivaux

14. Il vaut mieux remuer (*raise*) une question, sans la décider, que la décider sans la remuer. — Joubert

15. Rien n'est si dangereux qu'un ignorant ami; mieux vaudrait un sage ennemi. — La Fontaine

64. INTERROGATIVE WORD ORDER IN NON-INTERROGATIVE SENTENCES

The interrogative or inverted word order is used not only in questions but also

1. In reporting direct quotations:

> «Allons au cinéma», dit-il.
> *"Let's go to the movies," he said.*

2. Frequently after such adverbs as:

> aussi[1] *so, therefore*
> peut-être *perhaps*
> à peine *scarcely*

> A peine pouvait-il parler.
> *He could scarcely talk.*
> Peut-être est-il allé en ville.
> *Perhaps he went downtown.*

Basic Vocabulary

la vue *sight*	bientôt *soon*
gentil, gentille *nice*	à savoir *namely, to wit*
le fou *madman*	tomber *to fall*
l'or m. *gold*	

Translate

1. en vue de, perdre la vue, en pleine vue, au (*from the*) point de vue de, quelle chaleur! la plupart des touristes, à savoir, il tombe, il tomberait, il est tombé, nous étions tombés

---

[1] **Aussi** usually means *so, therefore* at the beginning of a clause:

> Il l'a cassé; aussi a-t-il dû le payer.
> *He broke it; so he had to pay for it.*

2. Il lui parlait avec chaleur.

3. A peine est-il arrivé en ville qu'il est allé la voir.

4. Peut-être a-t-il oublié l'adresse.

5. Les femmes, dit-on, sont capables de tout, les hommes du reste.

6. Le monde est devenu très petit: aussi la guerre, la paix, la liberté, le progrès social sont-ils indivisibles.

7. Lavoisier ne perdait pas de vue les problèmes généraux qui avaient excité sa curiosité et présidé à son entrée dans la carrière scientifique. A peine a-t-il éclairci la nature véritable des oxydes et des acides, la nature de l'air et celle de l'oxygène, qu'il montre les applications de ces résultats à 5 l'interprétation des phénomènes généraux de la chaleur. — *La Révolution chimique*, Berthelot

8. La chimie, la plus positive peut-être des sciences, celle dont nous maîtrisons le plus directement l'object, débute par des imaginations extravagantes sur l'art de faire de l'or et de transmuter les métaux: ses premiers adeptes sont des hallucinés, des fous et des charlatans, et cet état de 5 choses dure jusqu'au XVIIIe siècle, moment où la vraie doctrine remplace l'antique alchimie. Aussi les chimistes sérieux ont-ils hâte en général de se détourner de celle-ci; ce qui explique l'abandon dans lequel son histoire est tombée. C'est un fait bien connu de tous ceux qui ont enseigné, à 10 savoir que les spécialistes étudient surtout une science en vue de ses applications: la plupart ne se tourmentent guère de son passé. L'histoire des sciences attire surtout les philosophes et les gens curieux de la marche générale de l'esprit humain. Mais, si les spécialistes n'aiment ni les récits his- 15 toriques ni les abstractions, par contre les philosophes sont arrêtés en chimie par le caractère technique du langage et le tour particulier des idées. — *Les Origines de l'alchimie*, Berthelot

65. THE IMPERFECT AND PLUPERFECT SUBJUNCTIVES

The imperfect subjunctive ends in:

-asse, -asses, -ât, -assions, -assiez, -assent

or in

-isse, -isses, -ît, -issions, -issiez, -issent

or in

-usse, -usses, -ût, -ussions, -ussiez, -ussent

The pluperfect subjunctive is formed by adding the past participle of the main verb to the imperfect subjunctive of the auxiliary (**avoir** or **être**).

The literal meaning of the imperfect subjunctive is *might* plus the meaning of the verb (**qu'il fût,** *that he might be*); and that of the pluperfect subjunctive is *might have* plus the past participle of the main verb (**que j'eusse trouvé,** *that I might have found*). The words *might* and *might have*, though, may be left out for good English (cf. present subjunctive and present perfect subjunctive, SECTION 51).

In general the imperfect subjunctive and the pluperfect subjunctive are used like the present subjunctive and the present perfect subjunctive — in subordinate clauses introduced by **que** after expressions of doubt, uncertainty, emotion, etc. (see SECTION 51). The main difference among these four tenses is one of sequence of tenses. Note, for example, the following:

Je suis content qu'il le fasse.	*I am glad he is doing it.*
Je suis content qu'il l'ait fait.	*I am glad he did it.*
J'étais content qu'il le fît.	*I was glad he did it.*
J'étais content qu'il l'eût fait.	*I was glad he had done it.*

Note:

The pluperfect subjunctive is sometimes used, in literary style, in either or both clauses of conditional sentences:

S'il eût fait cela, il l'eût dit is the same as
S'il avait fait cela, il l'aurait dit.
If he had done that, he would have said so.

Translate

1. J'ignorais tout à fait qu'il fût parti.
2. Mais que voulait-elle que je fisse?
3. Quoiqu'il fût riche, il travaillait tous les jours.
4. S'il eût sauvé le général, il eût été décoré.
5. Nous voulions qu'il partît.
6. On eût dit que c'était un tableau de Michel-Ange.
7. Le nez de Cléopâtre, s'il eût été plus court, toute la face de la terre aurait changé. — Pascal

Basic Vocabulary

plusieurs *several*	**rencontrer** *to meet*
justement *exactly*	**la mer** *sea*

Translate

Les comètes, il est vrai, sont aussi nombreuses dans le ciel que les poissons dans la mer, il y en a des millions, et jamais une année ne se passe sans que plusieurs soient aperçues par les astronomes dans le voisinage (*neighborhood*) de l'orbite terrestre. Mais l'espace est si vaste qu'il faudrait une circon- 5 stance tout exceptionnelle pour qu'une comète passât juste- ment sur la route que la terre parcourt dans sa révolution annuelle autour du soleil. C'est cependant ce qui est arrivé en 1835. Mais croiser une route suivie (*followed*) par une per- sonne ne signifie pas pour cela qu'on la[1] rencontrera juste au 10 point de jonction: il faudrait que l'heure du passage fût la même.
— *La Fin du monde,* Flammarion

[1] **La** refers to **personne,** but it should be translated by *him.*

66. MEANINGS OF si

1. Si means *if* in conditional sentences:

   Si vous allez en ville, dites-le-moi.
   If you go downtown, tell me (lit., *tell it to me*).
   Je le ferais si je pouvais.
   I would do it if I could.

   a. Sometimes, in conditions, after **si** (*if*), **ne** alone is used with full negative force (cf. also SECTION 50, *Note* 3):

      Si je ne me trompe, il est déjà parti.
      If I am not mistaken, he has already left.

   b. For the sequence of tenses in conditional sentences (containing *if* clauses), see Appendix A, SECTION 89.

2. When followed by an incomplete conditional sentence (usually in the imperfect), **si** means *suppose:*

   Si nous allions au cinéma?
   Suppose we go to the movie?

3. In comparisons (after negations), **si** means *so:*

   Paul n'est pas si grand que son frère.
   Paul is not so tall as his brother.

4. Before an adverb **si** means *so:*

   Le temps passe si vite!
   The time goes (passes) so fast!

5. After a negation, **si** is used instead of **oui**, *yes:*

   Vous ne l'avez pas vu? — Si, je l'ai vu.
   You didn't see him? — Yes, I saw him.

6. **Si . . . que** + subj. is translated by *however:*

> **Si curieuse qu'elle soit, elle n'osera pas le faire.**
> *However curious she may be, she will not dare do it.*

Translate

1. Il n'est pas allé à Chicago? — Si, il y est allé.
2. Si stupides qu'ils soient, ils ne le croiront pas.
3. Si j'avais le temps, j'irais au cinéma.
4. Tu n'es pas allé à l'école hier. — Si, maman, j'y suis allé.
5. Elle est si gentille!
6. Dites, Marie, si nous faisions une promenade?
7. Nous sommes si accoutumés à nous déguiser aux autres, qu'à la fin nous nous déguisons à nous-mêmes. — La Rochefoucauld
8. La propriété étant un droit inviolable et sacré, nul ne peut en être privé, si ce n'est lorsque la nécessité publique . . . l'exige évidemment. — *Déclaration des droits de l'homme et du citoyen*, 1789

67. haïr[1] (*to hate*), ouvrir (*to open*), AND rire (*to laugh*)

The verb **haïr**, *to hate*, is conjugated like **agir** except that it loses the diaeresis in the present indicative singular and takes no circumflex accent (ˆ) in the past definite.

> *Compare:*
> **il hait** *he hates, is hating, does hate*, but
> **il haït** *he hated*
> **nous haïssons** *we hate, are hating, do hate*, but
> **nous haïmes** *we hated*

---

[1] The diaeresis (¨) over a vowel indicates that that vowel is pronounced separately (**Noël**).

The forms of **ouvrir**, *to open*, are easily recognized except the past participle, **ouvert**.

The irregularities of **rire**, *to laugh*, are as follows:

Present

ris	rions
ris	riez
rit	rient

Present participle

riant

Past participle

ri

Past definite

ris

Present subjunctive

rie

Imperfect subjunctive

risse

Like **ouvrir**:
rouvrir *to open again*
couvrir *to cover*

Like **rire**:
se rire de *to make fun of*
sourire *to smile*

Basic Vocabulary

pleurer *to weep, to cry*
se moquer de *to make fun of*
doux m., douce f. *sweet, gentle, mild*
la porte *door*

se couvrir *to cover oneself* (of weather *to become overcast*)
souffrir *to allow, to suffer*
de peur de *for fear of*
la blessure *wound*

Translate

1. il pleurait, de peur de couvrir, j'ouvre, la porte s'ouvre, la porte s'est ouverte, il a ouvert, il a rouvert, il a recouvert, il souffrirait, je le hais, ne le haïssez pas, ils nous haïrent, il souriait, il est doux, elle est douce, elle riait, elle rirait, pour que vous riiez

2. Le garçon s'est endormi en pleurant.

3. Comment va-t-il? — Sa blessure s'est rouverte.

4. Elle souriait comme la Joconde (Mona Lisa).

5. Vous me faites rire, monsieur!

6. Je me ris de lui. Je m'en ris.[1]

7. Je crois qu'elle me hait. — Si elle vous haïssait, elle ne vous fuirait pas.

8. Le climat de la France méridionale est doux.

9. Souffrez que je m'explique, s'il vous plaît.

10. (Note use of definite article with parts of body): Ouvrez les yeux.

11. Expliquez-lui ce dont il s'agit. Ouvrez-lui les yeux.

12. Il s'est couvert de gloire.

13. Le ciel se couvrait. Le ciel s'est couvert.

14. J'avais peur qu'il ne se moquât de moi.

15. Combien vous a-t-il offert?

16. En ce temps-là l'Amérique n'était pas encore découverte.

17. Il me dit cela en souriant.

18. Rira bien qui rira le dernier. — Proverbe

19. *Le Comte:* Qui t'a donné une philosophie aussi gaie? *Figaro:* L'habitude du malheur. Je me presse de rire de tout, de peur d'être obligé d'en pleurer. — Beaumarchais

20. Il vient un temps, dit Sainte-Beuve, où le sourire devient une ride (*wrinkle*).

[1] These two sentences do not express the same idea. Why? (SECTION 56b., Note 1).

21. Plus je songe à la vie humaine, plus je crois qu'il faut lui donner pour témoins (*witnesses*) et pour juges l'ironie et la pitié. Elles sont deux bonnes conseillères; l'une, en souriant, nous rend la vie aimable; l'autre, qui pleure,
5   nous la rend sacrée. L'ironie que j'invoque n'est point cruelle. Elle ne raille ni l'amour ni la beauté. Elle est douce et bienveillante (*kind*). Son rire calme la colère, et c'est elle qui nous enseigne à nous moquer des méchants et des sots, que nous pouvions, sans elle, avoir la faiblesse
10   de haïr. — *Le Jardin d'Épicure*, A. France (Reprinted by permission of CALMANN-LÉVY, ÉDITEURS)

68. FURTHER USES OF THE SUBJUNCTIVE

The subjunctive is used in clauses introduced by **pour . . . que, quelque . . . que, qui que, quoi que, quel . . . que**, etc.— that is to say, by expressions meaning *however, whoever, whatever*, etc. Study the following, learning the *italicized* expressions:

> *Pour* riche *qu'*il soit
> However *rich he may be*
>
> *Quelque* vite *que* vous marchiez
> However *fast you may walk*
> (Cf. also **si . . . que**, SECTION 66.)
>
> *Qui que* vous soyez
> Whoever *you may be*
>
> *Quoi qu'*elle fasse
> Whatever *she may do*
>
> *Quels que* soient vos privilèges
> Whatever *your privileges may be*
>
> *Quelque* similarité *qu'*il y ait (compare
>   with second example, above)
> Whatever *similarity there may be*

Basic Vocabulary

près (de) _near, nearby_
de près _closely_
à peu près _nearly, about, approximately_
tant que _as long as_
l'heure f. _time (o'clock)_

la lutte _struggle_ (lutter, _to struggle_)
l'assistant m. _bystander, person present_ (cf. assister à)
autrui _others, other people_

Translate

1. près de la table, près du lac, près d'ici, tout (= très) près, de près, à peu près, tant qu'il reste ici, une longue lutte, restons ici

2. Ils ont assisté à l'accident. Il y avait un autre assistant dont nous ne savons pas le nom.

3. La vie est une lutte. Qui cesse de lutter meurt.

4. Elle demeure tout près d'ici.

5. Il est à peu près trois heures.

6. Quelles que soient vos raisons, il ne les acceptera pas.

7. Quoi qu'il dise, je ne le croirai pas.

8. Qui que vous ayez vu, ce n'est pas Louis.

9. Pour peu qu'il soit artiste, il admirera ce tableau.

10. Quelque bien qu'on nous dise de nous, on ne nous apprend rien de nouveau. — La Rochefoucauld

11. Quelque différence qu'il paraisse entre les fortunes, il y a une certaine compensation de biens et de maux qui les rend égales. — La Rochefoucauld

12. Quelle que soit la chose qu'on veut dire, il n'y a qu'un mot pour l'exprimer, qu'un verbe pour l'animer et qu'un adjectif pour la qualifier. Il faut donc chercher, jusqu'à ce qu'on les ait découverts, ce mot, ce verbe et cet adjectif, et ne jamais se contenter de l'à peu près, ne jamais 5 avoir recours à des supercheries (_tricks_), même heureuses, à des clowneries de langage pour éviter la difficulté. — Maupassant

13. Quelle que soit dans la jalousie l'importance de ces efforts
d'abaissement (*debasement*) réel, ils ne forment pas la
partie la plus considérable de la conduite du névropathe
(*neurotic person*). Cet arrêt de l'action, cet abaissement
5   réel d'autrui exigent encore une lutte, des efforts assez
difficiles. Le psychasthénique (*neurasthenic*) n'a guère le
courage d'attaquer en face ceux qu'il jalouse (*of whom he
is jealous*), de les arrêter, de les abaisser en réalité. Il se
borne (*limits himself*) le plus souvent à chercher à les
10   abaisser dans l'esprit des assistants et dans son propre
esprit en luttant contre eux par la parole pendant leur
absence. C'est là l'essentiel du *dénigrement* qui est l'action
principale et caractéristique du jaloux. Lox . . ., femme de
quarante (40) ans, par exemple, n'a qu'un seul sujet de
15   conversation: c'est la critique amère (*bitter*) de tous ceux
qu'elle a pu approcher et surtout de sa belle-fille (*daughter-
in-law*). Comme le dit son mari, son attention n'est
éveillée (*aroused*) que par la critique. Elle reste inerte et
ne place pas un mot dans la conversation tant qu'elle n'a
20   pas l'occasion de montrer le désordre et la mauvaise conduite de quelque femme de sa famille. — *Les Médications
psychologiques*, F. Janet (Reprinted by permission of the
PRESSES UNIVERSITAIRES DE FRANCE)

69. suivre (*to follow*) AND vivre (*to live*)

The forms of **suivre** are easily recognized except for the three
persons singular of the present indicative: **suis, suis, suit.**

Observe that the first person, **je suis,** is spelled exactly as the
corresponding form and tense of **être.**

The three persons singular of the present indicative of **vivre**
are **vis, vis, vit** (like the singular forms of the past definite of
voir). The other irregularity is this: the stem for the past participle, the past definite and the imperfect subjunctive is **véc–.**

Translate

1. tu suis, nous suivons, nous suivrons, il a suivi, je l'avais suivie, il suit, il suivrait, il suivait, nous vivons, nous vivions, il vécut, j'ai vécu, nous vécûmes, avait-il vécu?
2. Je suis la règle. Je suis Américain.
3. Je vis Paul. Il vit en paix avec sa belle-mère (*mother-in-law*).
4. Il vivait encore lorsque le médecin est arrivé.
5. Molière vécut au dix-septième siècle.
6. Ils avaient vécu pour eux-mêmes.
7. Je le suis de près.
8. La corruption de l'homme, dit Emerson, est suivie de la corruption du langage.
9. Tout flatteur vit aux dépens de celui qui l'écoute. — La Fontaine
10. Que chacun examine ses pensées, il les trouvera toujours occupées au passé et à l'avenir. Nous ne pensons presque point au présent; et, si nous y pensons, ce n'est que pour en prendre la lumière pour disposer de l'avenir. Le présent n'est jamais notre fin: le passé et le présent sont nos 5 moyens; le seul avenir est notre fin. Ainsi nous ne vivons jamais, mais nous espérons de vivre, et, nous disposant toujours à être heureux, il est inévitable que nous ne le soyons jamais. — Pascal

Basic Vocabulary

bientôt *soon*
souhaiter *to wish*
cher (chère) *dear* (after noun *expensive*)
éteindre (irr.) *to extinguish*
mener *to lead*

la renommée *renown, fame*
avoir envie de *to feel like* (doing something)
tout de même *just the same*
de l'autre côté de *on the other side of*
le sort *lot, fate*

Translate

1. la semaine prochaine, il est gentil, elle chantait, à peine est-il parti, il mène, elle mènerait, suivez-moi, de l'autre côté de, tout de même, je vous l'enverrai, nous menons

2. je suis les autres, nous mènerons, il envoie, sa renommée, de ce côté-ci, j'enverrai, sur ma parole d'honneur, ma chère mère, il s'éteint, il s'est éteint, il s'éteindrait

3. J'ai envie de le lui dire.

4. Elle enverra chercher le médecin.

5. Je l'ai rencontré hier.

6. La porte est ouverte. La porte s'est ouverte.

7. Nous partirons bientôt.

8. Une femme d'esprit m'a dit un jour un mot qui pourrait bien être le secret de son sexe; c'est que toute femme, en prenant un amant (*lover*), tient plus de compte de la manière dont les autres femmes voient cet homme, que de la manière dont elle le voit elle-même. — Chamfort

9. L'estime vaut mieux que la célébrité. — Chamfort

10. Je hais moi sans toi. — La Contesse de Noailles

11. Si je la haïssais, je ne la fuirais pas. — Racine

12. — Vous dites ça en riant!
    — Je le dis en riant parce que c'est très sérieux. — Renard

13. On demandait à madame de Rochefort, si elle aurait envie de connaître l'avenir: Non, dit-elle, il ressemble trop au passé. — Chamfort

14. Si j'avais du talent, on m'imiterait. Si l'on m'imitait, je deviendrais à la mode. Si je devenais à la mode, je passerais bientôt de mode. Donc, il vaut mieux que je n'aie pas de talent. — Renard

15. Un juge disait naïvement à quelques-uns de ses amis: «Nous avons condamné aujourd'hui trois hommes à mort; il y en avait deux qui le méritaient bien.» — Chamfort

16. «Pourquoi me tuez-vous? — En quoi! ne demeurez-vous pas de l'autre côté de l'eau? Mon ami, si vous demeuriez de ce côté, je serais un assassin et cela serait injuste de vous

tuer de la sorte; mais puisque vous demeurez de l'autre
côté, je suis un brave, et cela est juste.» — Pascal   5
17. Il y a tout de même des actrices modestes. Si! Si! On en
trouve qui disent: «Je sais bien que je n'ai aucun talent!»
Puis elles vous regardent. Elles attendent. Puis, elles vous
font l'énumération de tout ce qu'elles peuvent faire. —
Renard   5
18. En amour tout est vrai, tout est faux; et c'est la seule
chose sur laquelle on ne puisse pas dire une absurdité. —
Chamfort
19. Quand on demandait à Newton comment il avait découvert la gravitation universelle, «En y pensant toujours»,
répondait-il.
20. Un jour que l'on ne s'entendait[1] pas dans une dispute, à
l'Académie, M. de Mairan dit: Messieurs, si nous ne parlions que quatre à la fois. — Chamfort
21. — Mais regardez ces gondoliers, dit Candide, ne chantent-
ils pas sans cesse? — Vous ne les voyez pas dans leur
ménage (*homes*), avec leurs femmes et leurs marmots
(*brats*) d'enfants, dit Martin. Le doge a ses chagrins, les
gondoliers ont les leurs. Il est vrai qu'à tout prendre le sort 5
d'un gondolier est préférable à celui d'un doge; mais je
crois la différence si médiocre, que cela ne vaut pas la
peine d'être examiné. — *Candide*, Voltaire
22. LES GRANDS DESTINS SONT IMPRÉVISIBLES.
Qui aurait pu deviner, en 1769, qu'un enfant corse
(*Corsican*), qui venait de naître, établirait en France un
empire et distribuerait à ses frères les trônes de l'Europe?
Qui aurait prédit, en 1794, qu'un jeune lieutenant, à peine 5
français, serait en 1800 le maître du pays? Qui eût osé
affirmer, en 1810, que cinq ans plus tard cette brillante
étoile s'eteindrait? Qui eût imaginé, en 1815, que six
années d'exil allaient servir de piédestal à la plus prodi-

---

[1] **Ne s'entendait pas.** This phrase has a double meaning here. It means
both *could not hear each other* and *could not agree.*

10   gieuse renommée posthume du siècle? Et qui pensait alors
que cet homme, après avoir pendant vingt ans mené les
Français à la bataille, à la victoire, puis à la défaite, leur
resterait cher et que sa légende serait l'une des plus belles
de l'histoire? — *Napoléon*, André Maurois (Reprinted by
15   permission of LIBRAIRE HACHETTE)

70. IDIOMATIC PRESENT, IMPERFECT

An action or condition which began in the past and *is continuing* in the present is expressed in French by the present with **depuis, depuis quand? depuis que, il y a . . . que, voilà . . . que** (see voc. below). The English equivalent is usually the progressive form of the present perfect (*has* or *have been* plus *-ing*):

Je vous *attends depuis* une heure. ⎫
Il y a une heure *que* je vous *attends.* ⎬ *I have been waiting*
Voilà une heure *que* je vous *attends.* ⎭ *for you for an hour.*

An action or a condition which had started in the past and *was continuing up to* a certain time in the past is expressed in French by the imperfect with **depuis, depuis quand? depuis que, il y avait . . . que.** The English equivalent is usually the progressive pluperfect (*had been* plus *-ing*):

Je vous *attendais depuis* une heure. ⎫ *I had been waiting for*
Il y avait une heure *que* je vous *at-* ⎬ *you for an hour.*
tendais. ⎭

Basic Vocabulary

depuis *for, since* (prep.)   **depuis quand?** *how long?*
depuis que *for, since*   **laisser** *to leave, to let*
  (conj.)   **digne** *worthy*

Translate

1. Il pleut tout le temps depuis que je suis ici.
2. Ils sont en France depuis un an.
3. Depuis quand parle-t-il? — Il y a une demi-heure qu'il parle.
4. Il y a une heure et demie que j'écris.
5. Il y avait un quart d'heure que nous attendions quand l'autobus est arrivé.
6. Avez-vous vu les enfants? — Je les ai vus tout à l'heure (il y a un moment).
7. J'ai laissé la valise à Chicago. Laissez-le parler. Laissons-le faire.
8. Depuis quand travaillait-il pour les Martin quand il est mort? — Depuis plus de quatre ans.
9. *M. Jourdain:* Et comme l'on parle, qu'est-ce que c'est donc que cela?
   Le Maître de philosophie: De la prose.
   M. Jourdain: Quoi! quand je dis, Nicole, apportez-moi mes pantoufles (*slippers*) et me donnez mon bonnet de 5 nuit, c'est de la prose?
   Le Maître de philosophie: Oui, monsieur.
   M. Jourdain: Par ma foi, il y a plus de quarante (40) ans que je dis de la prose sans que j'en susse rien. — Molière
10. (Voltaire to Rousseau, who believes that civilization corrupts man)
    J'ai reçu, monsieur, votre nouveau livre contre le genre humain; je vous en remercie. Vous plairez aux hommes, à qui vous dites leurs vérités, mais vous ne les corrigerez pas. On ne peut peindre avec des couleurs plus fortes les horreurs de la société humaine, dont notre ignorance et notre 5 faiblesse se promettent tant de consolations. On n'a jamais employé tant d'esprit à vouloir nous rendre bêtes; il prend envie de (*one feels like*) marcher à quatre pattes, quand on lit votre ouvrage. Cependant, comme il y a plus de soixante (60) ans que j'en ai perdu l'habitude, je sens 10

malheureusement qu'il m'est impossible de la reprendre, et je laisse cette allure (*gait*) naturelle à ceux qui en sont plus dignes que vous et moi. — Voltaire

71. devoir (*to owe, be expected to, be supposed to, have to*)

Present

dois	devons
dois	devez
doit	doivent

Past participle
dû

Past definite
dus

Future
devrai

Imperfect subjunctive
dusse

The basic meaning of **devoir** is *to owe*, but this verb varies in meaning in different tenses and contexts. Observe carefully the following:

Il doit chanter.	*He is to sing, is supposed to sing, is expected to sing, has to sing.*
Il devait venir.	*He was to come, was expected to come, was supposed to come, had to come.*
Il dut le faire. ⎫ **Il a dû le faire.** ⎬	*He had to do it.*
Il n'est pas ici; **il doit être malade.**	*He is not here; he must be ill (probably is ill).*

Nous devrons partir.	*We have to (will have to) leave.*
Il n'est pas venu; il a	*He did not come; he must have been*
dû être malade.	*ill (probably was ill).*
Il me doit dix francs.	*He owes me ten francs.*
Il devrait me payer.	*He ought to pay me.*
Il aurait dû me payer.	*He ought to have paid me.*

Note:

1. The conditional of **devoir** always translates *ought* and the conditional perfect, *ought to have*.
2. Learn the idiom **il doit y avoir**, *there must be.*

Translate

1. Jean est-il parti? — Oui, il a dû partir ce matin.
2. Marie n'est pas allée à l'école hier. Elle a dû être malade.
3. Vous devriez le lui dire.
4. Nous devrons étudier ce soir.
5. Michel n'est pas encore arrivé. Nous l'attendons. Il doit jouer du piano.
6. Il doit beaucoup à ses professeurs.
7. Cela n'explique pas l'affaire. Il doit y avoir quelque raison plus sérieuse.
8. Pour exécuter de grandes choses il faut vivre comme si on ne devait jamais mourir. — Vauvenargues
9. Les myopes ne doivent pas lire l'histoire; ils perdent leur temps. — Joseph de Maistre
10. Qui veut peindre pour l'immortalité doit peindre des sots. —Fontenelle
11. Les jus de fruit contiennent un facteur dit facteur C, facteur antiscorbutique, dont la fragilité doit être soulignée. Il est, en effet, facilement détruit par l'oxygène de l'air et surtout par la chaleur; c'est dire qu'il fait défaut (*is lacking*) dans les aliments (*foods*) stérilisés. — Léon 5 Binet (Reprinted by permission of the author)

Basic Vocabulary

aussitôt *immediately*
aussitôt que *as soon as*
dès *from, since*
dès que *as soon as*
tandis que *while, whereas*
à quoi sert . . .? *What is . . . good for? What is . . . used for?*
quant à *as for*

étroit *narrow*
prêt *ready*
venir de (+ infinitive)[1] *to have just*
soit . . . soit[2] *either . . . or*
avoir lieu *to take place*
large *broad, wide*
la nuit *night*
l'âme f. *soul*
le but *goal*

Translate

1. des idées étroites, dès ce matin, dès qu'il arrivera, aussitôt qu'il arriva, aussitôt qu'il arrivera, aussitôt après, tandis qu'il joue, soit qu'il parle soit qu'il se taise, la réunion aura lieu, quant à lui, prête à partir
2. Écris-moi dès que tu arriveras.
3. Aussitôt que j'arriverai en ville, j'irai le voir.
4. Appelez-moi dès que vous aurez servi le dîner.
5. Aussitôt qu'il sera parti, nous vous le dirons.
6. Le mariage aura lieu demain à six heures.
7. Il s'amusait, tandis que nous travaillions!

---

[1] This common idiom is used only in the present and imperfect tenses:

> Il *vient de* parler.
> He has just *spoken* (literally, *is coming from speaking*).
> Il *venait de* parler.
> He had just *spoken* (literally, *was coming from speaking*).

[2] Note the following:
  1. **Soit!** means *So be it!*
  2. In mathematics **soit** is translated by *let* (*suppose*), *required*:

> Soit ABC un triangle isocèle.
> *Let ABC be an isosceles triangle.*
> Soit à trouver l'angle . . .
> *Required to find the angle . . .*

8. Aussitôt dit, aussitôt fait.

9. A quoi servent toutes ces choses-là?

10. La loi est l'expression de la volonté générale . . .; elle doit être la même pour tous, soit qu'elle protège, soit qu'elle punisse. — *Déclaration des droits de l'homme et du citoyen*, 1789

11.   Le caractère social de la langue française, auquel il faut joindre sa grâce, son élégance, sa souplesse (*flexibility*), la prédestinent à être la langue internationale par excellence. Ensemble ces qualités lui donnent une force de propagande incomparable; elles aident puissamment à l'ex- 5 tension de la civilisation française . . . Si l'anglais l'emporte dans le monde des affaires, il ne le doit pas à ses qualités comme langue, mais simplement au principe de la majorité; aucune autre langue parlée par des Européens ne peut rivaliser avec lui quant à l'extension et au nombre 10 d'adhérents. La langue française, il est vrai, a pris son rang à un moment où aucune autre langue n'était prête à le lui contester; mais si elle a conservé son prestige elle ne le doit pas à la situation politique et commerciale de la France, ni à cette tradition de trois siècles; elle le doit à elle-même. 15
    Tandis que les nations de langue anglaise font des conquêtes territoriales pour l'anglais, le français fait des conquêtes morales pour la nation. — *Évolution et structure de la langue française*, W. von Wartburg (Reprinted by permission of A. FRANKE A.-G.)   20

12. Sans la théorie la pratique n'est que la routine donnée par l'habitude. La théorie seule peut faire surgir et développer l'esprit d'invention. C'est à vous surtout qu'il appartiendra de ne point partager l'opinion de ces esprits étroits qui dédaignent (*scorn*) tout ce qui dans les sciences 5 n'a pas une application immédiate. Vous connaissez le mot charmant de Franklin. Il assistait à la première démonstration d'une découverte purement scientifique. Et l'on demande autour de lui: Mais à quoi cela sert-il? Franklin

10   répond: «A quoi sert l'enfant qui vient de naître?» Oui,
      Messieurs, à quoi sert l'enfant qui vient de naître? —
      Pasteur.
   13. Nous croyons que la mission de l'art est une mission de
      sentiment et d'amour, que le roman d'aujourd'hui devrait
      remplacer la parabole et l'apologue des temps naïfs (*primi-
      tive*), et que l'artiste a une tâche plus large et plus poéti-
5   que que celle de proposer quelques mesures de prudence
      et de conciliation pour atténuer l'effroi (*fright*) qu'in-
      spirent[1] ses peintures. Son but devrait être de faire aimer
      les objects de sa sollicitude, et au besoin, je ne lui ferais
      pas un reproche de les embellir un peu. L'art n'est pas
10   une étude de la réalité positive; c'est une recherche de la
      vérité idéale. — George Sand
   14. Permettez-moi de m'expliquer! La peur (et les hommes
      les plus hardis peuvent avoir peur), c'est quelque chose
      d'effroyable (*frightful*), une sensation atroce, comme une
      décomposition de l'âme, un spasme affreux de la pensée et
5   du cœur, dont le souvenir seul donne des frissons (*shivers*)
      d'angoisse. Mais cela n'a lieu quand on est brave, ni devant
      une attaque, ni devant la mort inévitable, ni devant toutes
      les formes connues du péril: cela a lieu dans certaines cir-
      constances anormales, sous certaines influences mystérieuses
10   en face de risques vagues. La vraie peur, c'est quelque
      chose comme une réminiscence des terreurs fantastiques
      d'autrefois (*of old*). Un homme qui croit aux revenants
      (*ghosts*) et qui s'imagine apercevoir un spectre dans la
      nuit, doit éprouver la peur en toute son épouvantable hor-
15   reur. — *La Peur*, Maupassant

      [1] What is the subject of this verb?

72. THE SUBJUNCTIVE IN INDEPENDENT CLAUSES

The present subjunctive is used in independent clauses to express a command (**Qu'il vienne!** *Let him come!* SECTION 60) or a wish:

> **Que Dieu le bénisse!**
> *God bless him!* (*May God bless him!*)
> **Puissiez-vous réussir!**
> *May you succeed!*
> **Vive la République!**
> *Long live the Republic!*

The imperfect subjunctive in the main clause usually expresses concession:

Il faut attaquer, dussions-nous périr tous.
We must attack, even if all of us were to (*should*) *perish.*
Je voudrais la revoir, ne fût-ce qu'un petit moment.
I should like to see her again, were it only for a brief moment.

Note the following:

> **Plût au ciel qu'il en fût ainsi!**
> *Would to heaven it were so!*
> **Plût à Dieu qu'il vécût encore!**
> *Would to God he were still alive!*

Basic Vocabulary

lâche *cowardly*   **avouer** *to confess*

Translate

1. Que Dieu vous protège!
2. Qu'il soit ici demain!
3. J'y vais, dût-il me mettre à la porte (*throw me out*).

4. Vive le Président!
5. Plût au ciel qu'il vînt aujourd'hui!
6. Puissent tous les hommes se souvenir qu'ils sont frères!
— Voltaire
7. Plût à Dieu que ce Bayle se fût noyé (*drowned*), ainsi que
ses Hollandais hérétiques! A-t-on jamais vu un plus abominable homme? il expose les choses avec une fidélité si
odieuse; il met sous les yeux le pour et le contre avec une
5   impartialité si lâche; il est d'une clarté si intolérable qu'il
met les gens qui n'ont que le sens commun en état de
juger et même de douter. On n'y peut pas tenir (*can't
stand it*); et pour moi, j'avoue que j'entre dans une sainte
fureur quand on parle de cet homme-là et de ses semblables.
10   — Voltaire

73. aucun, jamais, rien

Aucun (*none, no one*), **jamais** (*never*), and **rien** (*nothing,
not anything*), when used with **ne**, are usually translated as
indicated in parentheses (see also SECTION 50).

When used without **ne**, but with a verb, **aucun, jamais,** and
rien usually are translated by *any, ever,* and *anything,* respectively:

> **Il n'a jamais fait *aucune* observation.**
> *He never made* any *observation.*
> **Avez-vous *jamais rien* vu de si joli?**
> *Have you* ever *seen* anything *so pretty?*

Note:

Rien, quelque chose, quelqu'un, personne, and **ce qu'il
y a** take a redundant **de** before an adjective:

> **quelque chose de joli,** *something pretty*
> **quelqu'un d'important,** *someone important*
> **ce qu'il y a de beau,** *what is beautiful*

When used alone, without a verb, **aucun, jamais,** and **rien** have the full negative force as when used with **ne:**

> **Aucun de ses amis n'est venu.** *Aucun!*
> *No one of his friends came.* No one!
> **Avez-vous jamais été à Madison? —** *Jamais.*
> *Have you ever been in Madison? —* Never.
> **Qu'avez-vous vu? —** *Rien.*
> *What did you see? —* Nothing.

> *Note:* **Personne** and **nul** may also be so used:
> **Personne ne travaille jamais ici.** *Personne!*
> *No one ever works here.* No one!

Translate

1. Nul n'est prophète en son pays. Nul!
2. Faudra-t-il se rendre? — Jamais!
3. (Observe this idiom with **jamais**): Ils étaient séparés à jamais (*forever*).
4. Alors, personne n'a besoin de rien? — Non, mais tu pourras nous apporter quelque chose de joli.
5. Tout ce qu'il y a de certain dans l'histoire de l'homme est qu'il naît et qu'il meurt.
6. Quelqu'un d'important est venu vous voir, monsieur.
7. Il n'est rien de plus beau qu'un beau livre. — Joubert
8. Nous ressemblons plus aux singes (*monkeys*) qu'à aucun autre animal par le don de l'imitation, par la légèreté de nos idées, et par notre inconstance, qui ne nous a jamais permis d'avoir des lois uniformes et durables. — Voltaire

Basic Vocabulary

se mêler de *to dabble in,* **to meddle with**
depuis peu *recently*
s'y prendre *to go about it* (doing something)

apprendre *to teach; to learn* (note the two meanings of this verb)
ravi *delighted*
tuer *to kill*

Translate

Le Roi [Louis XIV] se mêle depuis peu de faire des vers;
MM. de Saint-Aignan et Dangeau lui apprennent comment
il s'y faut prendre. Il fit l'autre jour un petit madrigal, que lui-
même ne trouva pas trop joli. Un matin il dit au maréchal de
5 Gramont: «Monsieur le maréchal, je vous prie, lisez ce petit
madrigal, et voyez si vous en avez jamais vu un si impertinent
(*silly*). Parce qu'on sait que depuis peu j'aime les vers, on
m'en apporte de toutes les façons.» Le maréchal, après avoir
lu, dit au Roi: «Sire, Votre Majesté juge divinement bien de
10 toutes choses: il est vrai que voilà le plus sot et le plus ridicule
madrigal que j'aie jamais lu.» Le Roi se mit à rire, et lui dit:
«N'est-il pas vrai que celui qui l'a fait est bien fat (*silly*)? —
Sire, il n'y a pas moyen de lui donner un autre nom. — Eh
bien! dit le Roi, je suis ravi que vous m'en ayez parlé si bonne-
15 ment (*frankly*); c'est moi qui l'ai fait. — Ah! Sire, quelle trahison! Que Votre Majesté me le rende; je l'ai lu brusquement.
—Non monsieur le maréchal: les premiers sentiments sont
toujours les plus naturels.» — Mme de Sévigné

74. MISCELLANEOUS

1. When **que** (also **comme**) introduces an exclamation, it
   is often translated by *how:*

   Que (comme) la vie est courte! *How short life is!*
   Qu'elle est gentille! *How nice she is!*

   But **que de** introducing an exclamation is translated by
   how many, what a lot of:

   Que de moustiques! *How many (what a lot of)*
   mosquitoes!

2. **Que** is sometimes used instead of **pourquoi?** in negative
   sentences with **ne** but without **pas:**

   Que ne le disiez-vous? *Why didn't you say it?*

Note:

Observe the use of **ne** alone in rhetorical questions or exclamations after **qui** or **que:**

> **Qui ne voit cela?**
> *Who does not see that?* (That is, everyone does).
> **Ah! que ne ferais-je pour lui!**
> *Ah! What would I not do for him!* (That is, I would do everything for him.)
>
> (For other uses of **ne** alone, see SECTION 50 and SECTION 52.)

3. **Que** often replaces other conjunctions (**quand, comme,** etc.). In such cases it usually has the same construction and the same meaning as the preceding conjunction:

Quand vous le verrez et *que* vous lui parlerez, dites-lui cela.
When you see him and when you talk to him, tell him that.

Observe, though, that when **que** replaces **si** (*if*), the verb which follows **que** is in the subjunctive:

Si **vous y allez et *que* vous le *voyiez*, dites-lui cela.**
If you go there and if you see him, tell him that.

4. **Que** is sometimes equivalent to *namely:*

> **C'est une belle ville que Madison.**
> *Madison is a beautiful city.*
> (Literally, *It is a beautiful city, namely, Madison.*)
> **Quelle belle ville que Madison!**
> *What a beautiful city Madison is!*

5. In addition to their literal meanings, the following imperatives have idiomatic meanings which must be determined by the context:

> **va, allons, allez, tiens, tenez, voyons**

Allons, du courage!
Come (now), (have) courage!
Allons donc!
Nonsense! or *Why, of course!*
J'en suis très content, va!
I am very glad of it, I assure you!
Tiens!
Well! Really! You don't say!

Note:

Par exemple, literally, *for example,* in exclamations some-times means *the idea, to be sure, by no means, upon my word, certainly.*

6. When **nous autres** or **vous autres** is followed by a noun, the word **autres** is not to be translated; its force may be rendered by stress:

   Nous autres Américains nous aimons les sports.
   We *Americans (do) love sports.*
   Vous autres professeurs vous lisez beaucoup.
   You *professors read a lot.*

7. Study the French numbers very carefully (Appendix A, SECTION 90), noticing particularly those aspects that are contrary to English usage.

8. Learn the uses of prepositions with geographical names (Appendix A, SECTION 91).

Translate

1. Vous autres femmes vous êtes intéressantes dès que vous aimez.
2. Si vous faites ce travail-là et que vous le finissiez avant six heures, donnez-moi un coup de téléphone (téléphonez-moi).
3. Supposons que notre monsieur X . . . Pardon! Je veux dire *votre* monsieur X, car je vous le donne maintenant

que nous touchons à la fin du livre; supposons, disais-je,
que votre ami X soit un lâche. Vous connaissez ce petit
trait de sa personnalité. Vous en êtes sûr. Vous en êtes tout 5
à fait convaincu. Supposons aussi que vous entendiez dire
que votre monsieur X ait fait quelque chose d'héroïque.
Votre première pensée, en apprenant cela, ne serait-t-elle
pas: allons donc!?

4. Que de choses se disent sans ouvrir la bouche! — paraphrasing J.-J. Rousseau

5. Qu'un cuisinier *(cook)* est un mortel divin! — Voltaire

6. Il se tue à rimer: que n'écrit-il en prose? — Boileau

7. Qu'un ami véritable est une douce chose! — La Fontaine

8. La race, comme nous l'entendons, nous autres historiens,
est donc quelque chose qui se fait et se défait.[1] L'étude de
la race est capitale pour le savant qui s'occupe de l'histoire
de l'humanité. Elle n'a pas d'application en politique. La
conscience instinctive qui a présidé à la confection de la 5
carte *(map)* d'Europe n'a tenu aucun compte de la race, et
les premières nations de l'Europe sont des nations de sang
essentiellement mélangé. — Renan

75. Faux amis (FALSE FRIENDS)

There are some French words which look like English words
but have different meanings, while others have both the same
meanings as the English words they resemble as well as dif-

---

[1] **Dé-** often denotes the opposite meaning of the word to which it is pre-
fixed. (Cf. merit and *de*merit in English):

faire	défaire
mérite	démérite
plaire	déplaire

Dé- is spelled **dés-** (for the sound) when the word starts with a vowel or
silent **h**:

armement	désarmement
honneur	déshonneur
obéir	désobéir

ferent meanings. The following list contains the most common and useful of such false cognates. Review those that you have had and learn the rest of the list. With few exceptions, those you have had many times (**enfant, car, loin,** etc.,) are not listed here:

achever *to finish*

actuellement *at the present time, actually* (cf. **actuel**)

adresse f. *skill, cunning, address*

arrêter *to stop, to decide, to arrest*

avis m. *opinion*

bête f. *fool, blockhead, animal, beast;* adj. *stupid*

blesser *to wound, to hurt*

brave before noun: *good, worthy;* after noun: *brave*

causer *to chat, to cause*

chance f. *luck, good fortune, chance* (**avoir de la chance** *to be lucky*)

conférence f. *lecture, conference*

davantage *more*

défendre *to forbid, to defend*

disgrâce f. *misfortune, disfavor, disgrace*

esprit m. *mind, intelligence, wit, spirit*

figure f. *face*

garder *to keep, to guard*

gentil *nice*

humeur f. *disposition, temper; humor* (usually when modified by **bonne** or **mauvaise**)

ignorer *to be unaware of, not to know*

injurier *to insult* (cf. **injure** f.)

journée f. *day*

justement *exactly, precisely, as it happened, justly*

lecteur m. *reader* (**lecture** f. *reading*)

marcher *to walk* (of machines, etc., *to run, to go, to function,* etc.), *to march* (**marche** f.)

parent, parente *relative, parent*

particulier *peculiar, special, private, particular* (**un particulier** *an individual*)

physicien m. *physicist*

pièce f. *room, play, piece*

place f. *public square, seat, place*

plaisanter *to joke* (**plaisant** *funny, queer, pleasant*)

rapport m. *relation, report*

remarquer *to notice, to observe, to remark*

rester *to stay, to remain*

salaire m. *wages* (*salary* =
traitement m.)
sensible *sensitive, responsive*
sorte f. *manner, way, sort*
(de la sorte *in this way, in
that way*)

souvenir m. *remembrance,
memory, recollection*
spirituel *witty, lively, humorous, spiritual*
superbe *proud, haughty, superb, splendid*

Translate

1. il achève, nous achevons, ils ont achevé, des expériences de physique, loin d'ici, un gentil garçon, une gentille petite fille, un homme d'esprit, perdre l'esprit, faire de l'esprit, des parents proches (*close*), un souvenir vague

2. il trompe, il se trompe, une grande ville, un ancien ami, un brave homme, il appelle, il s'arrête, ils injurient, ils s'injuriaient, une figure pâle, je reste

3. nous demeurons, sensible à l'amour, de la sorte, en quelque sorte, un savant physicien, un homme très superbe, les pièces de Shakespeare, les pièces de cette maison, un livre de lecture, trois de mes parents

4. Nous ne pouvons le souffrir. Sa présence chez nous nous blesse.

5. Voici le résultat des expériences que nous avons faites au laboratoire.

6. J'ai gardé un doux souvenir de ces jours-là.

7. Aujourd'hui notre professeur s'est surpassé, comme Zarathoustra. Il a fait une bonne conférence.

8. Alors, vous convenez que j'ai raison? — Si j'en conviens! Mais oui, monsieur le directeur.

9. Je vous défends d'en parler davantage!

10. Restez ici jusqu'à ce que je revienne.

11. Je vous assure que je n'éprouve aucune envie de lui parler.

12. Nous ne savions pas que Paul était parti. Nous l'ignorions tout à fait.

13. La plupart des physiciens sont des mathématiciens.

14. Je ne lui ai pas parlé devant sa femme. Je lui ai parlé en particulier.

15. Voyez-vous quelque rapport entre ces idées-là?

16. Le temps marche. Il mit la radio en marche. Ma montre *(watch)* ne marche plus. Il marche derrière ses bêtes.

17. Il y a une belle place à Paris qui s'appelle la Place de la Concorde.

18. Est-ce que votre ami X est sensible à l'amour?

19. Il reste à l'école jusqu'au soir.

20. Remarquez ce chapeau-là. La mode actuelle ne vous semble-t-elle pas un peu ridicule?

21. Nous avons causé pendant une heure.

22. Mon Dieu! que je suis bête. Je ne sais rien et je ne sais même pas cela.

23. Avez-vous assisté à l'accident?

24. Mon père et moi nous sommes allés voir nos parents de Philadelphie.

25. Ils se sont querellés. Ils se sont injuriés.

26. As-tu assisté à la conférence des directeurs de la banque?

27. J'éprouve une sensation particulière dans la tête.

28. Il lui arrive souvent de parler sans réfléchir.

29. Il avait travaillé toute la journée.

30. Elle veut faire de l'esprit, mais elle n'est pas spirituelle. Il s'en faut de beaucoup.

31. Il fut arrêté qu'ils partiraient dans une heure.

32. Qui vous a dit cela? — Mon propre fils.

33. Le nombre des membres du congrès des États-Unis est actuellement 535.

34. Je le regrette, mon ami. Justement ce matin j'ai prêté de l'argent à Louis et je suis à sec *(broke)*.

35. Je vous souhaite bonne chance.

36. Le lecteur qui croit tout ce qu'il lit n'est pas très intelligent.

37. Alors, au revoir, et bonne chance!

38. Nous nous consolons aisément des disgrâces de nos amis lorsqu'elles servent à signaler notre tendresse pour eux. —La Rochefoucauld

39. Si je ne vaux pas mieux, au moins je suis autre. —J.–J. Rousseau

40. Le génie commence les beaux ouvrages (*works*), mais le travail seul les achève. — Joubert

41. Le civilisé, parce qu'il est civilisé, a beaucoup plus d'obligations envers la société que celle-ci ne peut en avoir envers lui. Il a, en d'autres termes, plus de devoirs que de droits. — Charles Maurras

42. Un auteur dramatique qui fait une pièce ne doit pas aller au théâtre, car il trouve, dans toutes les pièces qu'il voit, quelque chose de la sienne. — Renard

43. Les vivants sont toujours, et de plus en plus, dominés par les morts. — Comte

44. [Les *Essais* de Montaigne]: Mon Dieu! que ce livre est plein de bon sens! — Mme de Sévigné

45. Comme l'on serait savant, si l'on connaissait bien seulement cinq à six livres! — Flaubert

46. Je crois qu'il ne manque pas d'hommes de sciences qui préféreraient arriver à une sorte de moratoire avec la science-fiction, en disant à ses auteurs: «Arrêtez-vous, ne déflorez (*spoil*) pas ce que nous allons faire.» Les premiers hommes dans la Lune ont été prévus par Jules Verne, il y 5 a fort longtemps. Les bandes dessinées (*comic strips*) et les romans de science-fiction ont annoncé maintes (*many*) et maintes fois tout ce qui allait se passer. Et, au moment où cela se passe, le public est vacciné. Il ne s'étonne plus. C'est bien regrettable. Nous préférerions que le public soit 10 renseigné avec précision sur ce que l'on fait et sur les difficultés que cela représente, mais qu'on ne lui fasse pas de promesse à l'avance. Si vous voulez, je souhaiterais que la science-fiction se préoccupe de ce qui se passe dans les galaxies, à des milliers d'années-lumière, là où nous n'irons 15

jamais, plutôt que de s'occuper de ce qui est prévisible. Qu'elle nous laisse au moins la Lune, Mars et Vénus et qu'elle garde l'inaccessible! — (Le Professeur Pierre Auger, directeur général de l'Organisation européenne des recher-
20 ches spatiales — *Le Figaro littéraire,* Semaine du 25 au 31 mars 1965) (Reprinted by permission of LE FIGARO LITTÉRAIRE)

47. Le roi de France Louis XVIII était près de mourir. Son futur successeur, son frère Charles d'Artois, était près de lui. Le roi, ayant lu sur la figure de ses médecins qu'ils avaient perdu tout espoir de le sauver, leur dit: «Allons,
5 finissons-en (*let's get it over with*), Charles attend.»[1]

Basic Vocabulary

bien des (= beaucoup de)	**tâcher de** (= chercher à) *to try to*
c'est que *the reason is, the fact is, it is because*	**se garder bien de** *to be very careful not to* (literally, *to guard oneself from*)
auparavant *before*	

Review the various meanings of **devoir**, SECTION 71, and translate:

Il y eut bien des salons distingués au XVIIIᵉ siècle. Mme Récamier les connaissait tous et en parlait très bien; celui qui aurait voulu en écrire avec goût aurait dû en causer auparavant avec elle; mais aucun ne devait ressembler au sien.
5 C'est qu'aussi elle ne ressemblait à personne. M. de Chateaubriand était l'orgueil (*pride*) de ce salon, mais elle en était l'âme (*soul*), et c'est elle qu'il faudrait tâcher de montrer à ceux qui ne l'ont pas connue; car vouloir la rappeler aux autres est inutile, et la leur peindre est impossible. Je me
10 garderai bien d'essayer ici de donner d'elle une biographie.

---

[1] The sound of **Charles attend** is not distinguishable from that of **charlatans**.

Même quand elles n'ont rien d'essentiel à cacher (*hide*) les femmes ne sauraient que perdre en charme au texte d'un (*in the course of a*) récit continu. Est-ce qu'une vie de femme se raconte? Elle se sent, elle passe, elle apparaît. J'aurais bien envie même de ne pas mettre du tout de date, car les dates 15 en tel sujet, c'est peu élégant. — Sainte-Beuve

✺§ REVIEW 8

(SECTIONS 62–75)

Translate

1. elle pleurait, elle pleurerait, il est tombé, j'envoie, ils enverront, il me renverrait, ne fuyez pas, il hait, il haït, nous restons, elle avait laissé, ils luttaient, vous devriez, vous auriez dû, pour que vous souriiez
2. plusieurs fois, de peur de la revoir, tant que, tandis que, à savoir, aussitôt qu'il partit, dès qu'elle arriva, depuis peu, depuis longtemps, depuis quand? un souvenir très confus, une femme superbe
3. un brave homme, la porte étroite, justement ce que je pense, soit . . . soit, à peu près, vu de près, depuis qu'il pleut, la plupart des garçons, une jeune fille très douce, le lecteur de ce livre
4. Soit! La fête aura lieu demain. Vous vous riez de lui. Paul vient de partir. Ce climat-là n'est pas doux. A quoi sert cet objet?
5. Elle se moque de son mari. — Cela n'en vaut pas la peine!
6. Auxquelles avez-vous parlé?
7. Qu'est-ce que tu as vu?

8. Qu'est-ce qu'ils veulent?
9. Qu'est-ce qui se passe?
10. A qui est cette belle automobile?
11. Nous aimons la musique, nous autres Italiens.
12. Il est perdu à jamais.
13. Puissent-ils réussir!
14. Je lui apprendrai à parler, fût-il Hercule lui-même.
15. Depuis quand m'attendiez-vous quand je suis arrivé?
16. Je l'ai vue passer tout à l'heure (il y a un instant).[1]
17. Il y avait une heure qu'il parlait.
18. Mon Dieu! que de déceptions.
19. La fortune sourit à votre ami.
20. Ils ont sauvé les apparences.
21. Comme elle est gentille!
22. Souffrez que je vous dise ce qui est arrivé.
23. Peut-être était-elle malade.
24. Le ciel était couvert. Le ciel s'était couvert.
25. Avez-vous rien lu de Flaubert?
26. Avez-vous jamais été en France?
27. Nous n'avons aucune confiance en lui.
28. Est-ce qu'il faut répondre de la sorte?
29. A peine reçoit-il de l'argent qu'il le dépense.
30. Ne vous faut-il rien d'autre?
31. C'est justement ce que me disait mon père.
32. Il y allait de son honneur. Il a dû se venger.
33. Tout le monde fuyait ce monsieur.
34. C'est une grande disgrâce que de vouloir faire de l'esprit sans avoir de l'esprit.
35. Après avoir causé une dizaine de minutes, ils se sont endormis.
36. Il n'y a rien de plus beau que le sourire d'un petit enfant.
37. Je vous défends de le lui dire.

---

[1]Note this idiom: **Tout à l'heure** means *a little while ago* when the verb is in the past; it means *in a little while* when the verb is in the present or future (**Nous partirons tout à l'heure.** *We shall leave in a little while.*).

38. Qui est le professeur qui fait ces conférences?
39. Monsieur X est un sénateur habile; aussi a-t-il été réélu plusieurs fois.
40. Quelque valides que soient vos raisons, il ne les acceptera pas.
41. Puis-je garder la monnaie (*change*)?
42. Vive la liberté!
43. Je suis les autres.
44. Tant que je vivrai je me le rappellerai.
45. Quoi que vous disiez, il ne vous croira pas.
46. Aussitôt que j'aurai fini ce travail, nous irons au cinéma.
47. Qu'est-ce que c'est que la modestie?
48. Il vaudra mieux qu'il vienne tout de suite.
49. Il devait le faire sous peine de passer pour lâche (*coward*).
50. Ignorez-vous qu'il soit parti? — Non, je ne l'ignore pas. Je l'ai su ce matin.
51. Chaque fois que je le vois j'éprouve une grande émotion.
52. Nous avons arrêté de le lui dire aussitôt.
53. Il nous a fallu rester un instant.
54. Elle se couvrait la figure de ses mains.
55. Vous plaisantez, monsieur. Votre excuse est amusante.
56. Ils se sont injuriés pendant un quart d'heure. Que d'injures en un quart d'heure!
57. Bien entendu (naturellement), ceux qui parlent beaucoup ne sont pas nécessairement spirituels.
58. Dites, Paul, ne marchez pas si vite (*quickly*).
59. Un jour l'énergie atomique fera marcher les petites machines.
60. Avez-vous remarqué comment il me regardait? On eût dit qu'il me connaissait.
61. Donnez-moi celui-ci et gardez celui-là.
62. J'avais envie de rire et de pleurer tout à la fois.
63. Quelle musique! cela blesse les oreilles (*ears*).
64. Voici comment il faut s'y prendre.
65. Avez-vous vu quelqu'un? — Personne.

66. Depuis peu il se mêle de politique.
67. De quoi vous mêlez-vous, monsieur? Mêlez-vous de vos affaires!
68. Si vicieux qu'il soit, il n'osera jamais faire cela.
69. Crois-tu qu'elle me haïsse? — Tu as de la chance. Elle ne te hait pas.
70. J'ignorais qu'il était parti.
71. Il devait avoir l'esprit ailleurs.
72. La terreur était peinte sur sa figure.
73. Votre monsieur X se croit très habile, et, comme Figaro, supérieur aux événements.
74. L'homme ne vit pas de pain (*bread*) seul. — La Bible
75. Mieux vaut tard que jamais. — Proverbe
76. Pour grands que soient les rois (*kings*), ils sont ce que nous sommes. — Corneille
77. Savez-vous rien de plus triste (*sad*) qu'un oiseau (*bird*) mort? — Daudet
78. O Liberté! que de crimes on commet en ton nom! — Mme Roland en montant à l'échafaud (*scaffold*)
79. O mortels! comment avez-vous fait pour vous rendre aussi malheureux que vous l'êtes? Que je vous plains et que je vous aime! — Diderot
80. Chose défendue, chose désirée. — Proverbe
81. L'ignorance vaut mieux qu'un savoir affecté. — Boileau
82. Qu'on réfléchisse encore à ce qui se passe dans le jeûne (*fasting*) prolongé. C'est un fait remarquable que, chez des animaux morts de faim (*hunger*), on trouve le cerveau (*brain*) à peu près intact, alors que (*whereas*) les autres organes ont perdu une partie plus ou moins grande de leur   5 poids (*weight*) et que leurs cellules ont subi des altérations profondes. Il semble que le reste du corps ait soutenu le système nerveux jusqu'à la dernière extrémité, se traitant lui-même comme un simple moyen dont celui-ci serait la fin. — *L'Évolution créatrice*, Bergson (Reprinted by per-   10 mission of the PRESSES UNIVERSITAIRES DE FRANCE)

83. Pendant toute notre conversation, et sauf quelques bouf-
fées de violence quand il s'est agi de l'Angleterre, le
Führer a été calme, modéré, conciliant. On eût été en
droit d'imaginer qu'on avait devant soi un homme bien
équilibré, plein d'expérience et de sagesse et qui ne
désirait rien tant que de faire régner la paix parmi les
peuples. M. Hitler à certains moments a parlé de l'Europe,
de ses sentiments d'Européen, plus réels que ceux que
beaucoup d'autres étalent bruyamment (*display noisily*).
Il a parlé de la «civilisation blanche» comme d'un bien
commun et précieux, qu'il faut défendre. Il a paru sincère-
ment frappé (*struck*) de l'antagonisme persistant qui
survivait à l'accord de Munich et que révélait à ses yeux
avec une netteté (*clearness*) particulière l'attitude britannique. Manifestement la perspective d'une crise prochaine,
l'éventualité d'une guerre générale sont présentes à son
esprit. Peut-être est-il au fond de lui-même sceptique sur
les chances qu'il peut y avoir de prévenir pareil (*such a*)
drame? Il semble en tout cas désireux de le tenter (*try*)
ou de l'avoir tenté, pour mettre en repos sinon sa conscience, du moins celle de son peuple. Et c'est par la
France qu'il pense que l'opération doit être abordée. —
François-Poncet, ambassadeur français à Berlin (*Livre
jaune*, 1938)

84. L'Astronomie, par la dignité de son objet et la perfection
de ses théories, est le plus beau monument de l'esprit
humain, le titre le plus noble de son intelligence. Séduit
par les illusions des sens et de l'amour-propre, l'homme
s'est regardé longtemps comme le centre du mouvement
des astres (*stars*) et son vain orgueil a été puni par les
frayeurs (*frights*) qu'ils lui ont inspirées. Enfin, plusieurs
siècles de travaux ont fait tomber le voile, qui lui cachait
le système du monde. Alors il s'est vu sur une planète
presque imperceptible dans le système solaire dont la vaste
étendue n'est elle-même qu'un point insensible dans

l'immensité de l'espace. Les résultats sublimes auxquels cette découverte l'a conduit sont bien propres à le consoler du rang qu'elle assigne à la terre, en lui montrant sa propre grandeur dans l'extrême petitesse de la base qui lui a servi 15 pour mesurer les cieux. Conservons avec soin (*care*), augmentons le dépôt de ces hautes connaissances (*knowledge*), les délices des êtres pensants. Elles ont rendu d'importants services à la Navigation et à la Géographie, mais leur plus grand bienfait est d'avoir dissipé les craintes 20 produites par les phénomènes célestes et détruit les erreurs nées de l'ignorance de nos vrais rapports avec la nature, — erreurs et craintes qui renaîtraient promptement, si le flambeau des sciences venait à s'éteindre. — *Le Système du monde*, Laplace　　　　　　　　　　　　　　25

⇜§ APPENDIX A

76. USES OF THE DEFINITE ARTICLE

As stated in SECTION 6, nouns used in a general sense and abstract nouns take the definite article in French. Other uses are as follows:

1. Before most geographical names, except after **en**:

   > **l'Asie, la France, la Sicile, le Vermont**
   > But
   > **en Europe, en France**

   > *Note:* a. Names of cities do not take the definite article. Exceptions are: **Le Havre, Le Bourget, La Nouvelle-Orléans** (*New Orleans*) and a few others.
   >
   > b. Names of continents, countries, provinces, and states ending in **-e** are all feminine except **le Mexique** (*Mexico*). Those not ending in **-e** are masculine.

2. Before names of languages, sciences, and courses of study EXCEPT after **de** and **en,** and *immediately* after the verb **parler:**

> J'étudie le français, l'algèbre, la chimie (*chemistry*).
> un professeur de physique
> Il se spécialise (*is majoring*) en français.
> Elle parle français.

But

> Elle parle couramment (*fluently*) le français.

3. Before titles and adjectives followed by proper names, except in direct address:

> Voilà le docteur Miran! Bonjour, Docteur Miran.
> Le petit Joseph est malade.

Note: If a title is modified by the word **monsieur** or **madame**, the article is used even in direct address:

> Bonjour, monsieur le docteur.

4. Before days of the week to indicate repeated occurrence:

> Il vient le lundi. *He comes on Mondays.*

But

> Il est parti lundi. *He left Monday.*

5. The definite article is also used to express *a* or *an* before nouns of weight and measure (before expressions of time **par** is used):

> six francs le litre, six francs la douzaine

But

> trois jours par semaine *three days a week*

6. The definite article is used instead of the possessive adjective when speaking of parts of the body or of clothes, provided there is no ambiguity as to the possessor:

> Il a levé la main. *He raised his hand.*
> Il avait les mains dans les poches. *He had his hands in his pockets.*
> Ils se sont lavé la figure. (Note the singular) *They washed their faces.*

77. A. PARTITIVE NOUN

1. Before a noun, *some* or *any* is generally expressed by
   de + the definite article.

   Il a de la patience. *He has (some) patience.*
   Avez-vous de l'argent? *Have you any money?*
   Nous avons du café. *We have (some) coffee.*
   Ont-elles des fleurs? *Do they have any flowers?*

2. The article is omitted in the following cases:
   a. In a general negation before a noun:

   Il n'a pas de patience. *He has no patience (He
   hasn't any patience).*
   Nous n'avons pas d'argent. *We have no money
   (We haven't any money).*

   b. When an adjective *precedes* a plural noun:

   Nous avons de bons amis. *We have (some)
   good friends.*
   Marie porte de belles robes. *Mary wears (some)
   beautiful dresses.*

   c. After nouns and adverbs of quantity:

   **Achetez une livre de beurre et une douzaine de
   bananes.** *Buy a pound of butter and a
   dozen bananas.*
   Combien d'enfants a-t-il? *How many children
   has he?*
   Elle a beaucoup d'argent. *She has a great deal
   of money.*
   Il y a trop de gens. *There are too many people.*

   Exceptions to c: **la plupart, bien,** and **ne . . . que** retain the article:

   La plupart des femmes aiment les fleurs. *Most
   women love flowers.*
   Il a bien des amis ici. *He has many friends here.*
   Je ne vois que des enfants. *I see only children.*

Both **de** and the definite article are omitted after **avec,** **sans,** and **ne . . . ni . . . ni:**

J'accepte avec plaisir.   *I accept with pleasure.*
Il l'a fait sans difficulté.   *He did it without (any) difficulty.*
Il n'a ni amis ni argent.   *He has neither friends nor money.*

77. B.   PARTITIVE PRONOUN

1. *Some* or *any* as a pronoun (that is, when there is no noun) is expressed by **en:**

   Avez-vous des frères?—J'en ai.   *Have you any brothers?—I have (some).*
   Avons-nous du café?—Nous n'en avons pas. *Have we any coffee?—We haven't (any). We don't have (any).*

2. **En** may also mean *of it* or *of them* and must always be expressed even when *of it* and *of them* is merely implied in English:

   Avez-vous des amis ici?—J'en ai un (dix, beau-coup, etc.).   *Has he any experience?—He has little (enough, a great deal. etc.).*
   A-t-il de l'expérience?—Il en a peu (assez, beau-coup, etc.).   *Has he any experience?—He has little (enough, a great deal, etc.).*

78. ADJECTIVES

1. As stated in SECTION 12, most adjectives follow the noun in French. The following adjectives usually precede the noun they modify:

   bon *good*   **mauvais** *bad*
   long *long*   **court** *short*

petit *small*   grand *large, big, tall*
jeune *young*   vieux *old*
gentil *nice, kind*   méchant *naughty, wicked*
joli *pretty*   vilain *ugly, nasty*

autre *other*
beau *beautiful*
gros *big, large, fat*
nouveau *new*
tout *any, every, all*

(Demonstrative, interrogative, and possessive adjectives, and numbers also precede the noun they modify.)

2. Several adjectives have two masculine singular forms. The one ending in -l is used before a masculine singular noun beginning with a vowel or a silent **h.** The following are the most common of such adjectives:

m. sing.	f. sing.
beau, bel	belle
nouveau, nouvel	nouvelle
vieux, vieil	vieille

When two adjectives modify the same noun, each one takes its normal position, unless they are joined by **et,** in which case they both follow:

un jeune homme intelligent
But
un homme jeune et intelligent

3. Feminine of adjectives
The regular formation of the feminine of adjectives appears in SECTION 15.

Adjectives ending in **-f** change **-f** to **-v** before adding **-e** and those ending in **-x** change **-x** to **-s** before adding **-e:**

actif, active   heureux, heureuse

Adjectives ending in **-el, -eil, -ien, -on,** and usually those ending in **-s** and **-t** double the final consonant before adding **-e:**

> cruel, cruelle
> pareil, pareille (*similar*)
> italien, italienne
> bon, bonne
> épais, épaisse (*thick, dense*)
> muet, muette

But

> français, française; gris, grise (*gray*); prêt, prête (*ready*) and a few less common adjectives add -e directly to the masculine form.

Note also the following:

> premier, première (*first*)
> dernier, dernière (*last*)
> cher, chère (*dear, expensive*)
> complet, complète
> discret, discrète
> indiscret, indiscrète
> concret, concrète
> secret, secrète

The following common adjectives form their feminine irregularly:

blanc, blanche	gentil, gentille (*nice*)
doux, douce	long, longue
faux, fausse	public, publique
favori, favorite	sec, sèche (*dry*)
frais, fraîche	ambigu, ambiguë

4. Certain adjectives vary in meaning according to their positions:

mon ancien voisin	*my former neighbor*
l'histoire ancienne	*ancient history*
un brave homme	*a good (worthy) man*
un homme brave	*a brave man*
certains amis	*certain friends*
une chose certaine	*a positive (sure) thing*

un grand homme	*a great man*
un homme grand	*a tall man*
le même homme	*the same man*
l'homme même	*the very man, the man himself*
un pauvre homme	*a poor (unfortunate) man*
un homme pauvre	*a poor (indigent) man*
de ses propres mains	*with his own hands*
ses mains propres	*his clean hands*

(The irregular plurals of adjectives appear in SECTION 29.)

79. WEATHER EXPRESSIONS

Quel temps fait-il? *How is the weather?*
Il fait beau (temps). *It's fine (weather). The weather is fine.*
Il fait mauvais (temps). *It's bad (weather). The weather is bad.*
Il fait chaud. *It's warm.*
Il fait clair. *It's clear.*
Il fait doux. *It's mild.*
Il fait frais. *It's cool.*
Il fait froid. *It's cold.*
Il fait lourd. *It's close.*
Il fait de l'orage. *It's stormy.*
Il fait du brouillard. *It's foggy.*
Il fait des éclairs. *It's lightning.*
Il fait du soleil. *It's sunny.*
Il fait du vent. *It's windy.*
Le temps se couvre. *It's getting cloudy.*
Le temps est couvert. *It's cloudy (overcast).*
Il pleut. *It rains (is raining, does rain).*
Il neige. *It snows (is snowing, does snow).*
Il tonne. *It thunders (is thundering, does thunder).*

Note: The word **temps** is required only in inquiring about the weather (first example); it may be used or omitted with **beau** and **mauvais** (second and third examples) and must not be used with any other expression in which **il fait** occurs.

80. PAST INDEFINITE AND OTHER COMPOUND TENSES

A. Formation

The past indefinite (and all other compound tenses) of most verbs is formed with the auxiliary **avoir**.

There are two types of verbs which take **être**:

1. All reflexive verbs
2. Some intransitive verbs such as the following and their compounds:

aller *to go*	**venir** *to come*
partir *to leave*	**arriver** *to arrive*
sortir *to go out*	**entrer** *to come in*
monter *to go up*	**descendre** *to come down*
naître *to be born*	**mourir** *to die*

rester *to stay, to remain*
tomber *to fall*

B. Agreement of the Past Participle

1. The past participle of a verb conjugated with **avoir** agrees, like an adjective, with the *preceding direct* object (**donné, donnée, donnés, données**). If the direct object does not precede or if the direct object is **en,** there is no agreement:

> **Avez-vous fini la leçon?—Je l'ai finie.**
> **Voici la robe qu'il m'a donnée.**
> **A-t-il apporté des fruits?—Il en a apporté.**

Note:

a) In the second example above, the preceding direct object is **qu'** (= **que**), which refers to **la robe**.
b) The past participle of a verb followed by an infinitive may now remain invariable in all cases (decree 1901); **fait** + infinitive is always invariable.

> **les livres que je lui ai fait lire**   *the books I had him read*

2. The past participle of a reflexive verb also agrees with the *preceding direct object*—that is, it agrees with the reflexive pronoun if that pronoun is the *direct object:*

> **Ils se sont arrêtés.**
> **Elle s'est bien amusée.**

But

> **Ils se sont parlé.**   *They spoke to each other.*
> **Elle s'est acheté un chapeau.**   *She bought herself a hat (a hat for herself.)*

Note: In most cases the reflexive pronoun is direct. It is indirect only when it is possible to use the preposition *to* or *for* in the literal translation, as in the last two examples.

3. The past participles of the intransitive verbs listed under Section A, above, agree with the subject:

> **Elle est partie.**
> **Vous êtes arrivé** (or **arrivée**, or **arrivés**, or **arrivées**, depending on the gender and number of **vous**).

81. CONJUNCTIVE PERSONAL PRONOUNS

A. Forms

Direct Object	Indirect Object	Reflexive
me	me	me
te	te	te
le, la, l'	lui	se
nous	nous	nous
vous	vous	vous
les	leur	se

B. Position in Relation to Each Other.

1. A personal pronoun object often occurs together with another personal pronoun, or with **y** or **en**. In such cases, the word order before the verb is:

me
te   le
se before la before lui before **y** before **en**
nous   les   leur
vous

> **Il le leur vend.** *He is selling it to them.*
> **Vous les a-t-elle donnés?** *Did she give them to you?*
> **Jean s'y est amusé.** *John had a good time there.*

2. When these pronouns follow the verb (which occurs only in the imperative affirmative), the word order is:

verb—direct object—indirect object—y—en

That is, the order is the same as in English, except that y and **en** stand last—in that order:

> **Apportez-les-lui.** *Bring them to him.*
> **Dites-le-moi.** *Tell it to me.*
> **Portons-les-y.** *Let's carry them there.*
> **Donnez-leur-en.** *Give them some.*

Note: **Moi** and **toi** become **m'** and **t'**, respectively, before **en** (**Donnez m'en.**).

3. **Vouloir, pouvoir, devoir, oser, aller, venir** are often followed by an infinitive. In such cases, the personal pronoun objects as well as **y** and **en** precede the infinitive:

> **Il ne veut pas le dire.** *He does not want to say it.*
> **Vous pouvez y aller.** *You can go there.*
> **Je dois vous le dire.** *I must tell it to you.*
> **Je vais en acheter.** *I am going to buy some.*
> **Il n'osait pas le faire.** *He did not dare to do it.*

82. USES OF THE VARIABLE DEMONSTRATIVES
celui, celle, ceux, celles

The variable demonstrative pronouns are never used alone. They are generally followed by either

   (1) a relative clause, or

   (2) a prepositional phrase usually indicating possession
       (**de, du, des,** etc.), or

   (3) **-ci** or **-là.**

Illustrations:

   (1) Followed by a relative clause:

> **Ce stylo n'est pas celui que j'ai perdu.**   *This pen is
> not the one I lost.*
>
> **Ceux qui cherchent, trouvent.**   *Those who (the
> ones who) seek, find.*

   (2) Followed by a **de**-phrase:

> **Mes amies et celles d'Hélène sont arrivées.**   *My
> friends and Helen's have arrived.*
>
> **Il a perdu son livre et celui de Paul.**   *He lost his
> book and Paul's.*

   (3) Followed by **-ci** or **-là:**

> **Ce chapeau-ci est plus joli que celui-là.**   *This hat
> is prettier than that one.*
>
> (**Voltaire et Rousseau**) **Celui-ci est plus révolution-
> naire que celui-là.**   *The latter is more revolu-
> tionary than the former.*

83. FURTHER USES OF THE FUTURE

The future (and the future perfect) must be used after
quand, lorsque, aussitôt que, dès que, tant que whenever
futurity is implied:

> **Quand il (aussitôt qu'il) arrivera, il le fera.**   *When he
> (as soon as he) arrives, he will do it.*
>
> **Lorsque (dès que) nous serons arrivés, nous vous écri-
> rons.**   *When (as soon as) we have arrived, we
> will write to you.*
>
> **Tant que je vivrai je me souviendrai de lui.**   *As long as
> I live, I will remember him.*

84. USES OF THE DISJUNCTIVE PERSONAL PRONOUNS

1. The disjunctive personal pronouns are used in comparisons (after **que**) and in other cases where the verb is not expressed:

   Paul est plus grand que moi.   *Paul is taller than I.*
   Qui est là?—Moi.   *Who is there?—I.*
   Toi absent, je m'ennuierai.   (*With*) *You absent, I will be bored.*

2. After prepositions: **avec lui, sans eux, pour toi.**

   Disjunctive personal pronouns are also called stressed pronouns because, as shown by the following examples, they are used in stressed positions:

3. After **ce** + **être** to stress the subject:

   C'est lui qui a reçu le prix.   (*It is*) *He* (*who*) *received the prize.*
   Ce sont eux qui refusent.   (*It is*) *They* (*who*) *are refusing.*

4. To stress the subject:

   Moi, je ne sais rien.   *I don't know anything.* (or *As for me, I don't know anything.*)
   Paul, lui, avait fini son travail.   *Paul had finished his work* (or *As for Paul, he had finished his work.*)
   Lui travaillait, eux s'amusaient.   *He was working, they were having a good time.*

5. In compound subjects or objects:

   Toi et moi nous[1] irons en ville.
   You and I will go downtown.
   Marcel et lui (ils) sont allés au cinéma.
   Marcel and he went to the movies.
   Je les ai vus, elle et lui.   *I saw her and him.*

---

[1] A pronoun summing up a compound subject is usually used when the subjects are of different persons.

6. Whenever the subject is modified by **seul** or **aussi**:

> **Lui seul le sait.**   *He alone knows it.*
> **Eux aussi (ils) partiront.**   *They too will leave.*

85. IDIOMS WITH avoir

avoir . . . ans	*to be . . . years old*
avoir faim (soif)	*to be hungry (thirsty)*
avoir chaud (froid)	*to be warm (cold)*
avoir peur de	*to be afraid of* (or *to be afraid* + infinitive)
avoir envie de	*to feel like* (doing something)
avoir besoin de	*to need*
avoir l'air (de)	*to seem (to)*
avoir de la chance	*to be lucky*

Note: The nouns **raison, tort, faim**, etc., do not change:

> **Il a froid.   Elle a froid.   Ils ont froid.**

86. INFINITIVE AFTER VERBS

1. The following common verbs are followed directly by the infinitive:

aimer *to like*	**laisser** *to let*
aimer mieux *to prefer*	**monter** *to go up*
aller *to go*	**oser** *to dare*
compter *to intend*	**pouvoir** *to be able*
croire *to believe*	**préférer** *to prefer*
désirer *to desire*	**regarder** *to look at*
devoir *must, to be (supposed) to, to have to*	**rentrer** *to return (home)*
	retourner *to go back*
	revenir *to come back*
entendre *to hear*	**savoir** *to know (how)*
envoyer *to send*	**sembler** *to seem*
espérer *to hope*	**valoir mieux** *to be preferable*
faire *to have* (something done)	**venir** *to come*
	voir *to see*
falloir *to be necessary, must*	**vouloir** *to wish, to want*

2. The following take **à** before an infinitive:

s'accoutumer *to accustom oneself*	**continuer**[1] *to continue*
aider *to help*	**se décider** *to make up one's mind*
apprendre *to learn*	**encourager** *to encourage*
s'attendre *to expect*	**inviter** *to invite*
avoir *to have to*	**se mettre** *to begin*
chercher *to seek, to try to*	**obliger** *to oblige, to compel*
commencer[1] *to begin*	**réussir** *to succeed*
consentir *to consent*	

3. The following take **de** before an infinitive:

cesser *to cease*	**finir** *to finish*
conseiller[2] *to advise*	**se flatter** *to flatter oneself*
craindre *to fear*	**négliger** *to neglect*
décider *to decide*	**offrir** *to offer*
défendre[2] *to forbid*	**oublier** *to forget*
demander[2] *to ask*	**permettre**[2] *to permit*
se dépêcher *to hurry*	**prier** *to pray, to request*
dire[2] *to tell, to say*	**promettre**[2] *to promise*
empêcher *to prevent*	**refuser** *to refuse*
essayer *to try*	**regretter** *to regret*
être obligé *to be obliged*	**remercier** *to thank for*
éviter *to avoid*	**se souvenir** *to remember*
féliciter *to congratulate*	**tâcher** *to try*

87. INFINITIVE AFTER PREPOSITIONS

In French all prepositions except **en** take the infinitive:

> **Réfléchissez avant de répondre.**   *Think well (reflect) before answering.*
> **Travaillons sans parler.**   *Let's work without talking.*

---

[1] May also take **de**.

[2] This verb takes an indirect object of the person: **Je lui conseille d'étudier.**

Après takes the perfect infinitive, that is to say, the infinitive of the auxiliary (**avoir** or **être** as usual) plus the past participle:

> **Après avoir dîné, il est allé au cinéma.** *After dining (After having dined), he went to the movies.*
> **Après être rentré, il s'est couché.** *After returning home (After having returned home), he went to bed.*

But **en** takes the present participle:

> **Il est tombé en courant.** *He fell while running.*
> **En disant cela, elle est partie.** *Upon saying that, she left.*
> **En marchant vite, vous arriverez à temps.** *By walking fast, you will arrive on time.*

88. USES OF THE SUBJUNCTIVE

The subjunctive is used:

1. After impersonal expressions: **il faut, il est nécessaire, il importe, il est important, il est bon, il est rare, il est essentiel, il vaut mieux, il est heureux, il est étonnant** (*astonishing*).

> **Il faut que nous partions.** *We must leave.*
> **Il vaut mieux que vous le sachiez.** *It is better that you know it.*

2. After expressions of doubt and uncertainty: **douter, il se peut, il semble,**[1] and, when used *negatively* or *interrogatively*, **croire, penser, espérer, être sûr, être certain, il est vrai, il est évident, il paraît.**

> **Je doute qu'il ait tort.** *I doubt that he is wrong.*
> **Il se peut qu'il ait raison.** *It is possible that he is right.*

[1] **Il semble** takes the subjunctive, but **il me** (**te, lui,** etc.) **semble** usually takes the indicative. **Il est probable** expresses conviction rather than uncertainty or doubt and therefore takes the indicative.

Compare:

> Je suis sûr qu'il viendra.   *I am sure that he will come.*

But:

> Je ne suis pas sûr qu'il vienne.   *I'm not sure that he's coming (will come).*

Again:

> Nous croyons qu'il le fera.   *We believe that he will do it.*

But:

> Croyez-vous qu'il le fasse?   *Do you believe that he will do it?*

3. After expressions of will, desire, command, prohibition, preference, approval, disapproval: **vouloir, désirer, souhaiter** (*to wish*), **aimer, aimer mieux, demander, ordonner, approuver, désapprouver.**

> Je veux que tu partes.   *I want you to leave (that you leave).*
>
> Nous approuvons qu'il vienne.   *We approve of his coming.*

4. After expressions of emotion: **être content, être heureux, être fâché** (*angry*), **regretter, avoir peur, craindre, s'étonner** (*to be surprised*), **c'est dommage.**

> Je m'étonne qu'il ait fait cela.   *I am surprised he did that.*
>
> Nous regrettons qu'il soit malade.   *We are sorry that he is ill.*

5. In relative clauses when the existence of the object sought is uncertain. In such cases, the antecedent in the main clause is usually indefinite—that is, it is accompanied by **un, une, du, des, de la, de l', quelqu'un,** etc.

Compare:

> Nous avons besoin d'un guide qui connaisse bien la ville.   *We need a guide who knows the city well.*

But:

> **Nous avons le guide qu'il nous faut.**   *We have the guide we need.*

Again:

> **Elle désire suivre des cours qui soient faciles.**   *She wishes to take courses which are easy.*

But:

> **Elle a choisi trois cours qui sont assez faciles.**   *She chose three courses which are rather easy.*

6. After a superlative (also after **ne . . . que, seul, premier, dernier**) when the speaker expresses an opinion rather than a fact.

Compare:

> **C'est le meilleur film que j'aie jamais vu.**   *It's the best film I have ever seen.*

But:

> **C'est le plus jeune des trois frères qui est parti.**   *It's the youngest of the three brothers that left.*

Again:

> **C'est la dernière chose qu'elle veuille faire.**   *It's the last thing she wants to do.*

But:

> **C'est le dernier mot qu'il a dit.**   *It's the last word he said.*

7. After a *general* negation or an interrogation implying a negative answer.

Compare:

> **Je ne connais personne qui lui soit fidèle.**   *I know of no one who is faithful to him.*

But:

> **Ce n'est pas vous que je crains.**   *It is not you whom I fear.* (Negation not general.)

8. After certain conjunctions: **bien que,** etc. (See SECTION 51).

> **Elle demeure en France pour que son enfant apprenne à parler français.** *She lives in France in order that her child may learn to speak French.*
> **Elle viendra à moins qu'elle ne**[1] **soit souffrante.** *She will come unless she is indisposed.*

9. After compound relatives and other expressions meaning *whoever, whatever, however:* **quoi que,** etc. (see SECTION 68).

10. After **que . . . ou (non),** *whether or (not)*:

> **Qu'il soit riche ou pauvre, cela m'est égal.** *Whether he is rich or poor, it is all the same to me.*
> **Qu'il le fasse ou non, cela ne me regarde pas.** *Whether he does it or not, that does not concern me.*

> *Note well:* 1. As illustrated by the foregoing examples, the subjunctive is used only when the main clause and the dependent clause have different subjects. When the main clause and the dependent clause have the same subject, the infinitive is used:

> **Je regrette d'être en retard.** *I am sorry I am late.*

> 2. For sequence of tenses, see SECTION 65.

89. SEQUENCE OF TENSES IN CONDITIONAL SENTENCES

In French, **si** meaning *if* is never followed by either the future or the conditional. Regardless of the English construction, the French sequence of tenses is:

---

[1] **à moins que** usually takes a redundant **ne** (SECTION 52).

Si (= IF) CLAUSE	RESULT CLAUSE
present (S'il vient,	*future* je le verrai.)
imperfect (S'il venait,	*conditional* je le verrais.)

In compound tenses this table applies to the auxiliary:

S'il était venu, je l'aurais vu.

90. NUMBERS

A. Cardinal numbers

1	un, une[1]	11	onze
2	deux	12	douze
3	trois	13	treize
4	quatre	14	quatorze
5	cinq	15	quinze
6	six	16	seize
7	sept	17	dix-sept
8	huit	18	dix-huit
9	neuf	19	dix-neuf
10	dix	20	vingt

21	vingt et un	61	soixante et un
22	vingt-deux, etc.	62	soixante-deux, etc.
30	trente	70	soixante-dix
40	quarante	71	soixante et onze
50	cinquante	72	soixante-douze, etc.
60	soixante	80	quatre-vingts

[1] All numbers are invariable with the exception of **un**, which has a feminine **une**.

81	quatre-vingt-un, etc.	6.247	six mille deux cent qua-rante-sept
90	quatre-vingt-dix	100.000	cent milie
91	quatre-vingt-onze	100.001	cent mille un, etc.
92	quatre-vingt-douze, etc.	1.000.000	un million
100	cent	200.000.000	deux cent mill-ions
101	cent un	1.000.000.000	un milliard
102	cent deux, etc.	34.000.000.000	trente-quatre milliards
1.000[1]	mille		
1.001	mille un, etc.		
2.000	deux mille		
2.001	deux mille un		

Note:

1. The precise meaning of the numbers 10, 15, 20, 30, 40, 50, 60, and 100 (rarely others) may be changed to *approximately* that number by adding -aine.

(dix) une dizaine	*about ten*
(cent) une centaine	*about one hundred*

   Observe that the plural of **une dizaine, une centaine** is translated by *tens, hundreds*.

2. **Quatre-vingt** and multiples of **cent** take s when NOT followed by another number:

   quatre-vingts, quatre-vingts francs; trois cents, trois cents francs

   But:

   quatre-vingt-douze; trois cent quatre dollars

3. **Un** is never used before **cent** and **mille**:

   cent francs, mille francs   *one hundred francs, one thousand francs*

---

[1] Numbers of more than three digits use a period or a space in French instead of a comma. Thus the English 1,000 is equivalent to the French 1.000 or 1 000.

4. **Mille** never takes **s**:

> **six mille francs**

5. **Million**[1] and **milliard** take **s** in the plural and **de** before a noun:

> **un million de dollars, quatre millions d'habitants**

B. Ordinal numbers

With the exception of **premier** and **second**, the ordinals are formed by adding **-ième** to the last consonant of the cardinals. The **q** of **cinq** becomes **qu** and the **f** of **neuf** becomes **v**:

1st	premier	8th	huitième
2nd	second, deuxième	9th	neuvième
3rd	troisième	10th	dixième
4th	quatrième	11th	onzième
5th	cinquième	21st	vingt et unième
6th	sixième	34th	trente-quatrième
7th	septième	101st	cent unième

Note:

1. Ordinals are adjectives. They agree like adjectives and they regularly precede the noun:

> **les premiers violons**
> **la troisième page**

2. None of the ordinals except **premier** is used in dates and titles of rulers.

C. Fractions and Decimals

In French as in English, fractions are expressed by cardinals in the numerator and ordinals in the denominator:

> **trois huitièmes ⅜**　　　　**quatre neuvièmes ⁴⁄₉**

---

[1] Do not confuse **millions** with **milliers** (*thousands*).

The following fractions, however, are irregular:

la moitié ½	**deux tiers** ⅔
un tiers ⅓	**un quart** ¼
	trois quarts ¾

Note: When followed by a noun, fractions must be preceded by the definite article and followed by **de**:

la moitié du temps	*half the time*
les sept dixièmes de la surface	*seven-tenths of the surface*

In French, decimals are set off by a comma rather than a period:

French	*English*
7,35	7.35

D. Dates and Titles of Rulers

Contrary to English usage, cardinal numbers (except **premier**) are used in French to express dates and numerical titles of rulers:

le quatre juillet (le 4 juillet)	*(on) the fourth of July*
Louis quatorze (Louis XIV)	*Louis the Fourteenth*

But:

le premier février (le 1er février)	*February first or on the first of February*
Napoléon premier (Napoléon Ier)	*Napoleon the First*

Note:

1. *On* and *of* are not expressed in dates.

2. From 1100 to 1999, the year may be expressed in hundreds as in English or by using **mil** (the former preferred in conversation). In either case the word **cent** is never omitted:

> **en dix-neuf cent soixante-neuf** or **en mil neuf cent soixante-neuf**

3. *In* in dates is expressed by **en** (see the example in the preceding note), but *in the month of* is **au mois de; au** is also used in connection with the word **siècle**.

au dix-huitième siècle   *in the eighteenth century*

91. PREPOSITIONS WITH GEOGRAPHICAL NAMES

a. Prepositions with names of cities:

To, at, or *in* with names of cities is generally expressed by **à** without the definite article; *from* is expressed by **de** without the definite article:

à Paris   *to (at, in) Paris*
de Chicago *from Chicago*

But

au Havre   *to (at, in) le Havre*
au Caire   *to (at, in) Cairo*
à la Nouvelle-Orléans *to (at, in) New Orleans*
du Havre   *from le Havre*
du Caire   *from Cairo*
de la Nouvelle-Orléans *from New Orleans*

b. Prepositions with other geographical names:

1) *In* or *to* with all feminine singular names is expressed by **en** without the definite article; with masculine names and with all plural names *in* or *to* is expressed by **à** + the definite article:

en Europe   *in (to) Europe*
en France   *in (to) France*
en Touraine *in (to) Touraine*
en Californie *in (to) California*
en Corse   *in (to) Corsica*
au Canada   *in (to) Canada*
aux États-Unis *in (to) the United States*
aux Antilles *in (to) the West Indies*

Note: If the geographical name is modified, *in* or *to* is usually expressed by **dans,** but **en** is also acceptable (**dans l'Afrique du Sud** or **en Afrique du Sud**).

2) With all feminine singular names, *from* is expressed by **de** without the definite article; with masculine names and all plural names it is expressed by **de** + the definite article:

de France	*from France*
du Mexique	*from Mexico*
des États-Unis	*from the United States*

◆§ APPENDIX B

COMMON FRENCH ABBREVIATIONS

Apr. J.-C. = Après Jésus-Christ *A.D.*

Av. J.-C. = Avant Jésus-Christ *B.C.*

c.-à-d. = c'est-à-dire *that is*

C.E.E. = Communauté économique européenne *European Economic Community, Common Market*

C.G.T. = (1) Compagnie Générale Transatlantique *French Line* (2) Confédération générale du travail *General Confederation of Labor*

Cⁱᵉ or Cᵉ = compagnie *company*

C.V., c.v. = Cheval-vapeur *horsepower*

É.-U. = États-Unis *United States*

F. = francs *francs*

F.G.D.S. = Fédération de la gauche démocrate et socialiste *Federation of the Democratic Socialist Left*

h. = heure *hour, o'clock*—e.g. 9h.45

H.L.M. = Habitation(s) à loyer modéré *low-rent housing*

J.-C. = Jésus-Christ *Jesus Christ*

LL. MM. = Leurs Majestés *Their Majesties*

M. = Monsieur *Mr., sir, gentleman*

M^e (pl. **M^{es}**) = **Maître** (used with names of notaries and lawyers instead of **monsieur**)

Mgr = **Monseigneur** *My Lord, Your Grace*—addressing a bishop; plural: see **NN. SS.**

Mlle (pl. **Mlles**) = **Mademoiselle** *Miss*

MM. = **Messieurs** *Gentlemen, sirs, Messrs.*

Mme (pl. **Mmes**) = **Madame** *Mrs., madam*

M^n = **maison** *firm*

M.R.P. = **Mouvement républicain populaire** *Popular Republican Party*

N.-D. = **Notre-Dame** *Our Lady*

NN. SS. = **Nosseigneurs** *Monsignori*

N.-S. = **Notre-Seigneur** *Our Lord*

n^o = **numéro** *number*

O.N.U. = **Organisation des Nations unies** *United Nations Organization—UN*

O.R.T.F. = **Office de Radiodiffusion télévision française** *French Broadcasting System*

O.T.A.N. = **Organisation du traité de l'Atlantique Nord** *North Atlantic Treaty Organization—NATO*

P.C. = **Parti communiste** *Communist Party*

P.D.G. = **Président-Directeur Général** *Chief executive of a corporation*

P.D.M. = **Progrès et démocratie moderne** *Progress and Modern Democracy*

P. et T. = **Postes et télécommunications** *Postal and Telecommunications System*

P.S.U. = **Parti socialiste unifié** *United Socialist Party*

R.F. = **République française** *French Republic*

R.I. = **Républicains indépendents** *Independent Republicans*

R.S.V.P. = **Réponse, Répondez, s'il vous plaît** *An answer is requested, Please answer*

S.A.R. = **Son Altesse Royale** *His, Her Royal Highness*

S. Exc. = **Son Excellence** *His Excellency*

S.M. = **Sa Majesté** *His, Her Majesty*

S.N.C.F. = **Société nationale des chemins de fer français** *French National Railroads*

S.S. = **Sa Sainteté** *His Holiness*

s.v.p. = **s'il vous plaît** *if you please*

T.S.V.P. = **Tournez, s'il vous plaît** *Over, please; please turn the page*

U.D.-V^e = **Union démocratique pour la Ve (Cinquième) République** *Democratic Union for the Fifth Republic*

U.N.R. = **Union pour la nouvelle république** *Union for the New Republic*

U.R.S.S. = **Union des républiques socialistes soviétiques** *Union of Soviet Socialist Republics—U.S.S.R.*

V^e, Vve = **veuve** *widow*

1er (fem. 1re) = **premier, première** *first*

2e = **deuxième** *second*

1° = **primo** *first*

2° = **secundo** *second*

❧ APPENDIX C

Essential Vocabulary Items Defined in French

(Students who expect to take the Educational Testing Service reading examination or a similar one are urged to learn the following expressions. It is advisable to learn them a few at a time.)

à bon compte—à bon marché (*cheaply*)

à cet égard—sous ce rapport, sur ce point

achever—finir une chose commencée, terminer

à côté de—auprès de, voisin à (*beside*)

à coup sûr—certainement

actuel—présent, contemporain

actuellement—à présent

à force de—par l'usage fréquent de (*by dint of, through*)

ailleurs—en un autre lieu

ainsi—de cette façon, de cette manière

à la fois—ensemble, en même temps

à la longue—avec le temps (*in the long run*)

à l'instant—tout de suite, immédiatement, aussitôt

alors—en ce temps-là; en ce cas-là

à mon avis—selon mon opinion, selon mon sentiment

à partir de—à dater de

à peine—ne . . . guère

à peu près—environ

assez—en quantité suffisante, suffisamment

au bout de—après

au bout de compte—après tout

au-dessous de—à un point inférieur, à un endroit inférieur (cf. au-dessus de)

au-dessus de—à un point supérieur, à un endroit supérieur (cf. au-dessous de)

au loin—à une grande distance

aussi bien que—de même que (*as well as*)

aussitôt—immédiatement, tout de suite

autant de—le même nombre de, la même quantité de

autrefois—jadis, anciennement

avoir de l'esprit—être spirituel

avoir envie de—avoir un grand désir de

avoir honte—être honteux

avoir raison—soutenir une chose juste (juste = *right*)

avoir tort—soutenir une chose injuste

bien des—beaucoup de

bien entendu—c'est entendu, assurément, bien sûr

bien que—quoique

bientôt—dans un proche futur (*soon*)

blesser—offenser, faire une blessure (*to wound*)

bonhomme—homme trop bon, faible, vieux (cf. brave homme)

car—parce que

causer—parler (familièrement)

cependant—pourtant, toutefois, néanmoins

chez—dans (à) la maison de, dans le (au) bureau de, dans le pays de, dans les œuvres de

conférence—causerie littéraire, scientifique, etc. faite devant un public

confus—honteux

d'abord—en premier lieu, avant tout

d'ailleurs—de plus, bien plus, en outre

d'autant plus . . . que—surtout parce que

davantage—plus

défendre—prohiber, interdire

défense—interdiction

de la part de—au nom de

de la sorte—de cette manière

de loin—d'une grande distance

de même que—ainsi que

de plus en plus—avec progrès, progressivement

de près—d'un lieu peu éloigné (cf. près de—dans le voisinage de)

de quoi—ce qui est suffisant pour

désormais—à partir du moment actuel, à partir de ce moment-ci

de sorte que—si bien que (*so that*)

de temps en temps—de temps à autre

d'ordinaire—ordinairement

douter de—douter

du côté de—dans la direction de

encore une fois—de nouveau, une autre fois

en effet—en réalité, en fait

en faire autant—faire la même chose

en fin de compte—tout compte fait, tout bien considéré (*all things considered*)

en revanche—d'autre part, par contre

ensuite—puis

être reçu à un examen—réussir à un examen (*to pass an examination*)

faire semblant de—feindre (*to feign, to pretend*)

faute de—par l'absence de

figure—visage

garder—ne pas révéler, ne pas se défaire de

il en résulte—le résultat en est

il existe—il y a

il ne faut pas—on ne doit pas

injurier—insulter, offenser

jadis—autrefois, dans le passé

justement—précisément

lecteur—personne qui lit

le long de—à côté de (*along*)

l'emporter sur—triompher de

lors de—à l'époque de, au moment de

lorsque—quand

marcher sur les pas de quelqu'un—imiter quelqu'un

néanmoins—cependant, pourtant, toutefois

nous autres (+ noun)—nous

or—mais

par bonheur—heureusement

parfois—quelquefois

par malheur—malheureusement

parmi—entre

partout—en tout lieu

peu à peu—lentement, par petits degrés

physicien—savant qui étudie la physique

plusieurs—un certain nombre de

plutôt—de préférence

pourvu que—à condition que

prendre garde à—chercher à éviter

presque—pas tout à fait, pas complètement

prêter l'oreille—écouter, être attentif

propre à—apte à

puis—ensuite (cf. puis—peux)

puisque—attendu que, vu que (*since*)

quand même—malgré tout

quelquefois—parfois, en certaines occasions

quelqu'un—une personne indéterminée, on

rester—demeurer (cf. se reposer)

s'attendre à—compter sur

se douter de—soupçonner

se garder de—éviter de

selon—conformément à, d'après

se mettre à—commencer à

s'en passer—se passer de quelque chose, s'abstenir de quelque chose (*to do without something*)

sensible—qui est aisément ému ou touché; appréciable

se passer—arriver

se plaindre de—se lamenter de

se rendre à—aller à

se rire de—se moquer de

se servir de—faire usage de, employer

se soucier de—s'inquiéter de (*to worry about*)

se souvenir de—se rappeler

se tromper—tomber dans l'erreur

se trouver—être

soit!—je veux bien, d'accord

soit . . . soit—ou . . . ou (*either . . . or*)

songer—rêver, s'abandonner à des rêveries

songer à—penser à

surtout—principalement

s'y connaître—se connaître à quelque chose, bien connaître quelque chose

tandis que—pendant que

tant—un si grand nombre, une si grande quantité (cf. autant—le même nombre, la même quantité)

tant bien que mal—comme ci comme ça, pas très bien

tant que—aussi longtemps que

tantôt . . . tantôt—quelquefois . . . quelquefois

tant soit peu—très peu

tel que—pareil à, exactement comme

tenir à—insister sur

tôt—de bonne heure

toujours—sans cesse

tout à coup—soudainement

tout à fait—entièrement

(tout) d'abord—en premier lieu, avant tout

tout en (+ present participle) —pendant que, tandis que

tout le jour—toute la journée (cf. tous les jours)

valoir mieux—être préférable

vouloir bien—consentir, accepter

vouloir dire—avoir l'intention de dire

vous autres (+ noun)—vous

❧ APPENDIX D

92. REGULAR VERBS

I	II	III
donner *to give*	**finir** *to finish*	**vendre** *to sell*
donnant *giving*	**finissant** *finishing*	**vendant** *selling*
donné *given*	**fini** *finished*	**vendu** *sold*

Present Indicative

I give, am giving, do give, etc.	I finish, am finishing, do finish, etc.	I sell, am selling, do sell, etc.
je donne	**je finis**	**je vends**
tu donnes	**tu finis**	**tu vends**
il donne	**il finit**	**il vend**
nous donnons	**nous finissons**	**nous vendons**
vous donnez	**vous finissez**	**vous vendez**
ils donnent	**ils finissent**	**ils vendent**

Imperfect Indicative

I was giving, used to give, gave, etc.	*I was finishing, used to finish, finished, etc.*	*I was selling, used to sell, sold, etc.*
je donnais	je finissais	je vendais
tu donnais	tu finissais	tu vendais
il donnait	il finissait	il vendait
nous donnions	nous finissions	nous vendions
vous donniez	vous finissiez	vous vendiez
ils donnaient	ils finissaient	ils vendaient

Simple Past

I gave, etc.	*I finished, etc.*	*I sold, etc.*
je donnai	je finis	je vendis
tu donnas	tu finis	tu vendis
il donna	il finit	il vendit
nous donnâmes	nous finîmes	nous vendîmes
vous donnâtes	vous finîtes	vous vendîtes
ils donnèrent	ils finirent	ils vendirent

Future

I shall (will) give, etc.	*I shall (will) finish, etc.*	*I shall (will) sell, etc.*
je donnerai	je finirai	je vendrai
tu donneras	tu finiras	tu vendras
il donnera	il finira	il vendra
nous donnerons	nous finirons	nous vendrons
vous donnerez	vous finirez	vous vendrez
ils donneront	ils finiront	ils vendront

Conditional

I would (should) give, etc.	*I would (should) finish, etc.*	*I would (should) sell, etc.*
je donnerais	je finirais	je vendrais
tu donnerais	tu finirais	tu vendrais
il donnerait	il finirait	il vendrait
nous donnerions	nous finirions	nous vendrions
vous donneriez	vous finiriez	vous vendriez
ils donneraient	ils finiraient	ils vendraient

Present Subjunctive

(that) I give, am giving, may give	*(that)* I finish, am finishing, may finish	*(that)* I sell, a selling, may sel
(que) je donne	(que) je finisse	(que) je vende
(que) tu donnes	(que) tu finisses	(que) tu vendes
(qu') il donne	(qu') il finisse	(qu') il vende
(que) nous donnions	(que) nous finissions	(que) nous vendio
(que) vous donniez	(que) vous finissiez	(que) vous vendie：
(qu') ils donnent	(qu') ils finissent	(qu') ils venden

Imperfect Subjunctive

(that) I gave, was giving, might give	*(that)* I finished, was finishing, might finish	*(that)* I sold, w selling, might se
(que) je donnasse	(que) je finisse	(que) je vendiss
(que) tu donnasses	(que) tu finisses	(que) tu vendiss
(qu') il donnât	(qu') il finît	(qu') il vendît
(que) nous donnassions	(que) nous finissions	(que) nous vendiss
(que) vous donnassiez	(que) vous finissiez	(que) vous vendiss
(qu') ils donnassent	(qu') ils finissent	(qu') ils vendiss

Imperative

donne[1]	*give*		finis	*finish*
qu'il donne	*let him give*		qu'il finisse	*let him finis*
donnons	*let us give*		finissons	*let us finish*
donnez	*give*		finissez	*finish*
qu'ils donnent	*let them give*		qu'ils finissent	*let them fini*

vends	*sell*
qu'il vende	*let him sell*
vendons	*let us sell*
vendez	*sell*
qu'ils vendent	*let them sell*

---

[1] This form becomes **donnes** before **y** or **en**.

93. AUXILIARY VERBS

avoir *to have*	être *to be*
ayant *having*	étant *being*
eu *had*	été *been*

Present Indicative

I have, etc.		*I am*, etc.	
j'ai	nous avons	je suis	nous sommes
tu as	vous avez	tu es	vous êtes
il a	ils ont	il est	ils sont

Imperfect Indicative

I had, used to have, etc.		*I was, used to be*, etc.	
j'avais	nous avions	j'étais	nous étions
tu avais	vous aviez	tu étais	vous étiez
il avait	ils avaient	il était	ils étaient

Simple Past

I had, etc.		*I was*, etc.	
j'eus	nous eûmes	je fus	nous fûmes
tu eus	vous eûtes	tu fus	vous fûtes
il eut	ils eurent	il fut	ils furent

Future

I will (shall) have, etc.		*I will (shall) be*, etc.	
j'aurai	nous aurons	je serai	nous serons
tu auras	vous aurez	tu seras	vous serez
il aura	ils auront	il sera	ils seront

Conditional

I would (should) have, etc.		*I would (should) be*, etc.	
j'aurais	nous aurions	je serais	nous serions
tu aurais	vous auriez	tu serais	vous seriez
il aurait	ils auraient	il serait	ils seraient

Present Subjunctive

(that) I have, may have, etc.	*(that) I am, may be, etc.*
(que) j'aie	(que) je sois
(que) tu aies	(que) tu sois
(qu') il ait	(qu') il soit
(que) nous ayons	(que) nous soyons
(que) vous ayez	(que) vous soyez
(qu') ils aient	(qu') ils soient

Imperfect Subjunctive

(that) I had, might have, etc.	*(that) I was, might be, etc.*
(que) j'eusse	(que) je fusse
(que) tu eusses	(que) tu fusses
(qu') il eût	(qu') il fût
(que) nous eussions	(que) nous fussions
(que) vous eussiez	(que) vous fussiez
(qu') ils eussent	(qu') ils fussent

Imperative

aie	*have*		sois	*be*
qu'il ait	*let him have*		qu'il soit	*let him be*
ayons	*let us have*		soyons	*let us be*
ayez	*have*		soyez	*be*
qu'ils aient	*let them have*		qu'ils soient	*let them be*

94. COMPOUND TENSES

Compound tenses are formed by adding the past participle of the principal verb to the auxiliary (**avoir** or **être**, SECTION 28).

avoir donné *to have given*	**être arrivé(e)(s)** *to have arrived*
ayant donné *having given*	**étant arrivé(e)(s)** *having arrived*

Compound Past

I have given, etc.	*I have arrived, etc.*
j'ai donné	je suis arrivé(e)
tu as donné	tu es arrivé(e)
etc.	etc.

Pluperfect

I *had given*, etc.

j'avais donné
etc.

I *had arrived*, etc.

j'étais arrivé(e)
etc.

Past Anterior

I *had given*, etc.

j'eus donné
etc.

I *had arrived*, etc.

je fus arrivé(e)
etc.

Future Perfect

I *will (shall) have given*, etc.

j'aurai donné
etc.

I *will (shall) have arrived*, etc.

je serai arrivé(e)
etc.

Past Conditional

I *would (should) have given*, etc.

j'aurais donné
etc.

I *would (should) have arrived*, etc.

je serais arrivé(e)
etc.

Past Subjunctive

(*that*) I *have given, gave, may have given*, etc.

(que) j'aie donné
etc.

(*that*) I *have arrived, arrived, may have arrived*, etc.

(que) je sois arrivé(e)
etc.

Pluperfect Subjunctive

(*that*) I *had given, might have given*, etc.

(que) j'eusse donné
etc.

(*that*) I *had arrived, might have arrived*, etc.

(que) je fusse arrivé(e)
etc.

95. SPELLING CHANGES IN *-er* VERBS

1. Verbs ending in -cer (**placer** *to place*) require the s-sound throughout their conjugation; hence the **c** becomes **ç** before **a** or **o**:

Pres. Part.	Pres. Ind.	Imperf. Ind.	Simple Past	Imperf. Subj.
plaçant	place	plaçais	plaçai	plaçasse
	places	plaçais	plaças	plaçasses
	place	plaçait	plaça	plaçât
	plaçons	placions	plaçâmes	plaçassions
	placez	placiez	plaçâtes	plaçassiez
	placent	plaçaient	placèrent	plaçassent

2. Verbs ending in -ger (**manger** *to eat*) require the sound of soft *g* (like *s* in *pleasure*) throughout their conjugation; hence the **g** becomes **ge** before **a** or **o**:

Pres. Part.	Pres. Ind.	Imperf. Ind.	Simple Past	Imperf. Subj.
mangeant	mange	mangeais	mangeai	mangeasse
	manges	mangeais	mangeas	mangeasses
	mange	mangeait	mangea	mangeât
	mangeons	mangions	mangeâmes	mangeassions
	mangez	mangiez	mangeâtes	mangeassiez
	mangent	mangeaient	mangèrent	mangeassent

3. Verbs ending in -oyer and -uyer (**employer** *to employ*, **ennuyer** *to annoy*) change the **y** to **i** whenever **y** comes before a mute **e**:

Pres. Ind.	Future	Conditional	Pres. Subj.
emploie	emploierai	emploierais	emploie
emploies	emploieras	emploierais	emploies
emploie	emploiera	emploierait	emploie
employons	emploierons	emploierions	employions
employez	emploierez	emploieriez	employiez
emploient	emploieront	emploieraient	emploient

Note: Verbs ending in -ayer may keep the **y** or change it to **i**. Thus **je paye** or **je paie**.

4. First conjugation verbs which have a mute **e** in the stem (**mener** *to lead*) change that **e** to **è** whenever the following syllable contains a mute **e**:

Pres. Ind.	Future	Conditional	Pres. Subj.
mène	mènerai	mènerais	mène
mènes	mèneras	mènerais	mènes
mène	mènera	mènerait	mène
menons	mènerons	mènerions	menions
menez	mènerez	mèneriez	meniez
mènent	mèneront	mèneraient	mènent

5. First conjugation verbs which have an **é** in the LAST syllable of the stem (**espérer** *to hope*, **préférer** *to prefer*) change that **é** to **è** in *1, 2, 3,* and *6* of the present indicative and present subjunctive ONLY:

Pres. Ind.	Pres. Subj.
espère	espère
espères	espères
espère	espère
espérons	espérions
espérez	espériez
espèrent	espèrent

6. Most verbs ending in **-eler** and **-eter** (**appeler** *to call*, **jeter** *to throw*) double the **l** or **t** whenever the following syllable contains a mute **e**:

Pres. Ind.	Future	Conditional	Pres. Subj.
appelle	appellerai	appellerais	appelle
appelles	appelleras	appellerais	appelles
appelle	appellera	appellerait	appelle
appelons	appellerons	appellerions	appelions
appelez	appellerez	appelleriez	appeliez
appellent	appelleront	appelleraient	appellent

Pres. Ind.	Future	Conditional	Pres. Subj.
jette	jetterai	jetterais	jette
jettes	‚_tteras	jetterais	jettes
jette	jettera	jetterait	jette
jetons	jetterons	jetterions	jetions
jetez	jetterez	jetteriez	jetiez
jettent	jetteront	jetteraient	jettent

Note: The most common exceptions to this section are **geler** *to freeze* and **acheter** *to buy,* which are conjugated like **mener, 4,** above.

96. IRREGULAR VERBS (Arranged in alphabetical order)

Acquérir *to acquire*

Infinitive acquérir; *Fut.* acquerrai; *Cond.* acquerrais
Pres. Part. acquérant; *Imperf. Indic.* acquérais; *Pres. Subj.* acquière, acquières, acquière, acquérions, acquériez, acquièrent
Past Part. acquis; *Compound Past* j'ai acquis
Pres. Indic. acquiers, acquiers, acquiert, acquérons, acquérez, acquièrent; *Imper.* acquiers, acquérons, acquérez
Simple Past acquis; *Imperf. Subj.* acquisse

Like **acquérir:** **conquérir** *to conquer*

Aller *to go*

Infinitive aller; *Fut.* irai; *Cond.* irais
Pres. Part. allant; *Imperf. Indic.* allais; *Pres. Subj.* aille, ailles, aille, allions, alliez, aillent
Past Part. allé; *Compound Past* je suis allé
Pres. Indic. vais, vas, va, allons, allez, vont; *Imper.* va, allons, allez
Simple Past allai; *Imperf. Subj.* allasse

Like **aller:** **s'en aller** *to go away*

Note: The **en** of **s'en aller** precedes the verb (the auxiliary in compound tenses) in all cases except in the imperative *affirmative:* **je m'en vais, je m'en suis allé(e),** but **allez-vous-en.**

Asseoir *to seat* (See also SECTION 59.)

Infinitive asseoir; *Fut.* assiérai; *Cond.* assiérais
Pres. Part. asseyant; *Imperf. Indic.* asseyais; *Pres. Subj.* asseye, asseyes, asseye, asseyions, asseyiez, asseyent
Past Part. assis; *Compound Past* j'ai assis
Pres. Indic. assieds, assieds, assied, asseyons, asseyez, asseyent; *Imper.* assieds, asseyons, asseyez
Simple Past assis; *Imperf. Subj.* assisse

Like asseoir: s'asseoir *to sit down* (See also SECTION 59, Note 2.)

Battre *to beat*
This verb loses one **t** in the present indicative singular: **bats, bats, bat;** otherwise is conjugated like **vendre.**

Like battre: se battre *to fight;* combattre *to fight, to combat*

Boire *to drink*
Infinitive boire; *Fut.* boirai; *Cond.* boirais
Pres. Part. buvant; *Imperf. Indic.* buvais; *Pres. Subj.* boive, boives, boive, buvions, buviez, boivent
Past Part. bu; *Compound Past* j'ai bu
Pres. Indic. bois, bois, boit, buvons, buvez, boivent; *Imper.* bois, buvons, buvez
Simple Past bus; *Imperf. Subj.* busse

Conclure *to conclude*
Infinitive conclure; *Fut.* conclurai; *Cond.* conclurais
Pres. Part. concluant; *Imperf. Indic.* concluais; *Pres. Subj.* conclue
Past Part. conclu; *Compound Past* j'ai conclu
Pres. Indic. conclus, conclus, conclut, concluons, concluez, concluent; *Imper.* conclus, concluons, concluez
Simple Past conclus; *Imperf. Subj.* conclusse

Conduire *to conduct, to escort, to drive*
Infinitive conduire; *Fut.* conduirai; *Cond.* conduirais
Pres. Part. conduisant; *Imperf. Indic.* conduisais; *Pres. Subj.* conduise
Past Part. conduit; *Compound Past* j'ai conduit
Pres. Indic. conduis, conduis, conduit, conduisons, conduisez,

conduisent; *Imper.* conduis, conduisons, conduisez
Simple Past conduisis; *Imperf. Subj.* conduisisse

Like conduire. se conduire *to conduct oneself, to behave;* détruire *to destroy;* produire *to produce;* traduire *to translate;* construire *to construct*

Connaître *to know*

Infinitive connaître; *Fut.* connaîtrai; *Cond.* connaîtrais
Pres. Part. connaissant; *Imperf. Indic.* connaissais; *Pres. Subj.* connaisse
Past Part. connu; *Compound Past* j'ai connu
Pres. Indic. connais, connais, connaît, connaissons, connaissez, connaissent; *Imper.* connais, connaissons, connaissez
Simple Past connus; *Imperf. Subj.* connusse

Like connaître: apparaître *to appear;* disparaître *to disappear;* paraître *to seem;* reconnaître *to recognize*

Courir *to run*

Infinitive courir; *Fut.* courrai; *Cond.* courrais
Pres. Part. courant; *Imperf. Indic.* courais; *Pres. Subj.* coure
Past Part. couru; *Compound Past* j'ai couru
Pres. Indic. cours, cours, court, courons, courez, courent; *Imper.* cours, courons, courez.
Simple Past courus; *Imperf. Subj.* courusse

Like courir: accourir *to run to, to hasten;* parcourir *to run through, to glance over;* secourir *to succor, to help*

Craindre *to fear*

Infinitive craindre; *Fut.* craindrai; *Cond.* craindrais
Pres. Part. craignant; *Imperf. Indic.* craignais; *Pres. Subj.* craigne, craignes, craigne, craignions, craigniez, craignent
Past Part. craint; *Compound Past* j'ai craint
Pres. Indic. crains, crains, craint, craignons, craignez, craignent; *Imper.* crains, craignons, craignez
Simple Past craignis; *Imperf. Subj.* craignisse

Like craindre: atteindre *to attain;* éteindre *to extinguish;* joindre *to join;* peindre *to paint;* plaindre *to pity;* se plaindre *to complain*

Croire *to believe*
Infinitive croire; *Fut.* croirai; *Cond.* croirais
Pres. Part. croyant; *Imperf. Indic.* croyais; *Pres. Subj.* croie, croies,
croic, croyions, croyiez, croient
Past Part. cru; *Compound Past* j'ai cru
Pres. Indic. crois, crois, croit, croyons, croyez, croient; *Imper.*
crois, croyons, croyez
Simple Past crus; *Imperf. Subj.* crusse

Cueillir *to gather, to pick*
Infinitive cueillir; *Fut.* cueillerai; *Cond.* cueillerais
Pres. Part. cueillant; *Imperf. Indic.* cueillais; *Pres. Subj.* cueille,
cueilles, cueille, cueillions, cueilliez, cueillent
Past Part. cueilli; *Compound Past* j'ai cueilli
Pres. Indic. cueille, cueilles, cueille, cueillons, cueillez, cueillent;
Imper. cueille, cueillons, cueillez
Simple Past cueillis; *Imperf. Subj.* cueillisse

Like cueillir: accueillir *to welcome*

Devoir *to owe, must,* etc. (SECTION 71)
Infinitive devoir; *Fut.* devrai; *Cond.* devrais
Pres. Part. devant; *Imperf. Indic.* devais; *Pres. Subj.* doive, doives,
doive, devions, deviez, doivent
Past Part. dû [f. due, pl. du(e)(s)]; *Compound Past* j'ai dû
Pres. Indic. dois, dois, doit, devons, devez, doivent; *Imper.* ——
Simple Past dus; *Imperf. Subj.* dusse

Dire *to say, to tell*
Infinitive dire; *Fut.* dirai; *Cond.* dirais
Pres. Part. disant; *Imperf. Indic.* disais; *Pres. Subj.* dise
Past Part. dit; *Compound Past* j'ai dit
Pres. Indic. dis, dis, dit, disons, dites, disent; *Imper.* dis, disons,
dites
Simple Past dis; *Imperf. Subj.* disse

Dormir *to sleep* (See SECTION 14.)
Infinitive dormir; *Fut.* dormirai; *Cond.* dormirais
Pres. Part. dormant; *Imperf. Indic.* dormais; *Pres. Subj.* dorme

Past Part. dormi; *Compound Past* j'ai dormi
Pres. Indic. dors, dors, dort, dormons, dormez, dorment; *Imper.*
dors, dormons, dormez
Simple Past dormis; *Imperf. Subj.* dormisse
Like dormir: endormir *to put to sleep;* s'endormir *to fall asleep;*
mentir *to lie;* partir *to leave;* sentir *to feel, to smell;* se sentir (+
adj. or adv.) *to feel;* consentir *to consent;* servir *to serve;* se servir
de *to use;* desservir *to clear the table;* sortir *to go out*

Note: **Partir, sortir** (and of course the reflexives) take the
auxiliary être.

Écrire *to write*
Infinitive écrire; *Fut.* écrirai; *Cond.* écrirais
Pres. Part. écrivant; *Imperf. Indic.* écrivais; *Pres. Subj.* écrive
Past Part. écrit; *Compound Past* j'ai écrit
Pres. Indic. écris, écris, écrit, écrivons, écrivez, écrivent; *Imper.*
écris, écrivons, écrivez
Simple Past écrivis; *Imperf. Subj.* écrivisse

Like écrire: décrire *to describe;* inscrire *to inscribe, to enroll, to
register*

Envoyer *to send*
Infinitive envoyer; *Fut.* enverrai; *Cond.* enverrais
Pres. Part. envoyant; *Imperf. Indic.* envoyais; *Pres. Subj.* envoie,
envoies, envoie, envoyions, envoyiez, envoient
Past Part. envoyé; *Compound Past* j'ai envoyé
Pres. Indic. envoie, envoies, envoie, envoyons, envoyez, envoient;
Imper. envoie, envoyons, envoyez
Simple Past envoyai; *Imperf. Subj.* envoyasse

Like envoyer: renvoyer *to send away, to dismiss*

Faire *to make, to do*
Infinitive faire; *Fut.* ferai; *Cond.* ferais
Pres. Part. faisant; *Imperf. Indic.* faisais; *Pres. Subj.* fasse, fasses,
fasse, fassions, fassiez, fassent
Past Part. fait; *Compound Past* j'ai fait

Pres. Indic. fais, fais, fait, faisons, faites, font; *Imper.* fais, faisons, faites
Simple Past fis; *Imperf. Subj.* fisse

Like **faire**: défaire *to undo*; refaire *to do again*; satisfaire *to satisfy*

Falloir *to be necessary, must* (impersonal; see SECTION 54.)
Infinitive falloir; *Fut.* il faudra; *Cond.* il faudrait
Pres. Part. ——; *Imperf. Indic.* il fallait; *Pres. Subj.* il faille
Past Part. fallu; *Compound Past* il a fallu
Pres. Indic. il faut; *Imper.* ——
Simple Past il fallut; *Imperf. Subj.* il fallût

Fuir *to flee*
Infinitive fuir; *Fut.* fuirai; *Cond.* fuirais
Pres. Part. fuyant; *Imperf. Indic.* fuyais; *Pres. Subj.* fuie, fuies, fuie, fuyions, fuyiez, fuient
Past Part. fui; *Compound Past* j'ai fui
Pres. Indic. fuis, fuis, fuit, fuyons, fuyez, fuient; *Imper.* fuis, fuyons, fuyez
Simple Past fuis; *Imperf. Subj.* fuisse

Like **fuir**: s'enfuir *to flee, to escape*

Lire *to read*
Infinitive lire; *Fut.* lirai; *Cond.* lirais
Pres. Part. lisant; *Imperf. Indic.* lisais; *Pres. Subj.* lise
Past Part. lu; *Compound Past* j'ai lu
Pres. Indic. lis, lis, lit, lisons, lisez, lisent; *Imper.* lis, lisons, lisez
Simple Past lus; *Imperf. Subj.* lusse

Like **lire**: relire *to reread*; élire *to elect*; réélire *to re-elect*

Mettre *to place, to put*
Infinitive mettre; *Fut.* mettrai; *Cond.* mettrais
Pres. Part. mettant; *Imperf. Indic.* mettais; *Pres. Subj.* mette
Past Part. mis; *Compound Past* j'ai mis
Pres. Indic. mets, mets, met, mettons, mettez, mettent; *Imper.* mets, mettons, mettez
Simple Past mis; *Imperf. Subj.* misse

Like mettre: se mettre à *to begin;* admettre *to admit;* commettre *to commit;* omettre *to omit;* permettre *to permit;* promettre *to promise;* remettre *to put back, to defer;* soumettre *to submit;* transmettre *to transmit*

Mourir *to die*
Infinitive mourir; *Fut.* mourrai; *Cond.* mourrais
Pres. Part. mourant; *Imperf. Indic.* mourais; *Pres. Subj.* meure, meures, meure, mourions, mouriez, meurent
Past Part. mort; *Compound Past* je suis mort
Pres. Indic. meurs, meurs, meurt, mourons, mourez, meurent; *Imper.* meurs, mourons, mourez
Simple Past mourus; *Imperf. Subj.* mourusse

Naître *to be born*
Infinitive naître; *Fut.* naîtrai; *Cond.* naîtrais
Pres. Part. naissant; *Imperf. Indic.* naissais; *Pres. Subj.* naisse
Past Part. né; *Compound Past* je suis né
Pres. Indic. nais, nais, naît, naissons, naissez, naissent; *Imper.* nais, naissons, naissez
Simple Past naquis; *Imperf. Subj.* naquisse

Like naître: renaître *to be born again, to spring forth again*

Ouvrir *to open*
Infinitive ouvrir; *Fut.* ouvrirai; *Cond.* ouvrirais
Pres. Part. ouvrant; *Imperf. Indic.* ouvrais; *Pres. Subj.* ouvre
Past Part. ouvert; *Compound Past* j'ai ouvert
Pres. Indic. ouvre, ouvres, ouvre, ouvrons, ouvrez, ouvrent; *Imper.* ouvre, ouvrons, ouvrez
Simple Past ouvris; *Imperf. Subj.* ouvrisse

Like ouvrir: couvrir *to cover;* découvrir *to discover, to uncover;* offrir *to offer;* souffrir *to suffer*

Plaire *to please*
Infinitive plaire; *Fut.* plairai; *Cond.* plairais
Pres. Part. plaisant; *Imperf. Indic.* plaisais; *Pres. Subj.* plaise
Past Part. plu; *Compound Past* j'ai plu
Pres. Indic. plais, plais, plaît, plaisons, plaisez, plaisent; *Imper.*

plais, plaisons, plaisez
Simple Past **plus**; *Imperf. Subj.* **plusse**

Like **plaire: se taire** *to be silent, to hold one's tongue*

Note the third person of the present indicative: **se tait.**

Pleuvoir *to rain* (impersonal; see SECTION 54.)
Infinitive **pleuvoir**; *Fut.* **il pleuvra**; *Cond.* **il pleuvrait**
Pres. Part. **pleuvant**; *Imperf. Indic.* **il pleuvait**; *Pres. Subj.* **il pleuve**
Past Part. **plu**; *Compound Past* **il a plu**
Pres. Indic. **il pleut**; *Imper.* ——
Simple Past **il plut**; *Imperf. Subj.* **il plût**

Pouvoir *to be able*
Infinitive **pouvoir**; *Fut.* **pourrai**; *Cond.* **pourrais**
Pres. Part. **pouvant**; *Imperf. Indic.* **pouvais**; *Pres. Subj.* **puisse,**
puisses, puisse, puissions, puissiez, puissent
Past Part. **pu**; *Compound Past* **j'ai pu**
Pres. Indic. **peux** or **puis, peux, peut, pouvons, pouvez, peuvent;**
Imper. ——
Simple Past **pus**; *Imperf. Subj.* **pusse**

Prendre *to take*
Infinitive **prendre**; *Fut.* **prendrai**; *Cond.* **prendrais**
Pres. Part. **prenant**; *Imperf. Indic.* **prenais**; *Pres. Subj.* **prenne,**
prennes, prenne, prenions, preniez, prennent
Past Part. **pris**; *Compound Past* **j'ai pris**
Pres. Indic. **prends, prends, prend, prenons, prenez, prennent;**
Imper. **prends, prenons, prenez**
Simple Past **pris**; *Imperf. Subj.* **prisse**

Like **prendre: apprendre** *to learn;* **comprendre** *to understand, to*
include; **entreprendre** *to undertake;* **reprendre** *to take back;* **sur-**
prendre *to surprise*

Recevoir *to receive*
Infinitive **recevoir**; *Fut.* **recevrai**; *Cond.* **recevrais**
Pres. Part. **recevant**; *Imperf. Indic.* **recevais**; *Pres. Subj.* **reçoive,**
reçoives, reçoive, recevions, receviez, reçoivent
Past Part. **reçu**; *Compound Past* **j'ai reçu**

Pres. Indic. reçois, reçois reçoit, recevons, recevez, reçoivent
Imper. reçois, recevons, recevez
Simple Past reçus; *Imperf. Subj.* reçusse

Like recevoir: apercevoir *to perceive;* concevoir *to conceive*

Résoudre *to resolve*

Infinitive résoudre; *Fut.* résoudrai; *Cond.* résoudrais
Pres. Part. résolvant; *Imperf. Indic.* résolvais; *Pres. Subj.* résolve
Past Part. résolu; *Compound Past* j'ai résolu
Pres. Indic. résous, résous, résout, résolvons, résolvez, résolvent
Imper. résous, résolvons, résolvez
Simple Past résolus; *Imperf. Subj.* résolusse

Rire *to laugh*

Infinitive rire; *Fut.* rirai; *Cond.* rirais
Pres. Part. riant; *Imperf. Indic.* riais; *Pres. Subj.* rie, ries, rie, riions, riiez, rient
Past Part. ri; *Compound Past* j'ai ri
Pres. Indic. ris, ris, rit, rions, riez, rient; *Imper.* ris, rions, riez
Simple Past ris; *Imperf. Subj.* risse

Like rire: se rire de *to laugh at, to make fun of;* sourire *to smile*

Savoir *to know*

Infinitive savoir; *Fut.* saurai; *Cond.* saurais
Pres. Part. sachant; *Imperf. Indic.* savais; *Pres. Subj.* sache, saches, sache, sachions, sachiez, sachent
Past Part. su; *Compound Past* j'ai su
Pres. Indic. sais, sais, sait, savons, savez, savent; *Imper.* sache, sachons, sachez
Simple Past sus; *Imperf. Subj.* susse

Suivre *to follow*

Infinitive suivre; *Fut.* suivrai; *Cond.* suivrais
Pres. Part. suivant; *Imperf. Indic.* suivais; *Pres. Subj.* suive
Past Part. suivi; *Compound Past* j'ai suivi
Pres. Indic. suis, suis, suit, suivons, suivez, suivent; *Imper.* suis, suivons, suivez
Simple Past. suivis; *Imperf. Subj.* suivisse

Like suivre: poursuivre *to pursue*

Tenir *to hold*
Infinitive tenir; *Fut.* tiendrai; *Cond.* tiendrais
Pres. Part. tenant; *Imperf. Indic.* tenais; *Pres. Subj.* tienne,
tiennes, tienne, tenions, teniez, tiennent
Past Part. tenu; *Compound Past* j'ai tenu
Pres. Indic. tiens, tiens, tient, tenons, tenez, tiennent; *Imper.*
tiens, tenons, tenez
Simple Past tins, tins, tint, tînmes, tîntes, tinrent; *Imperf. Subj.*
tinsse, tinsses, tînt, tinssions, tinssiez, tinssent

Like **tenir**: appartenir *to belong;* contenir *to contain;* maintenir *to*
maintain; obtenir *to obtain;* retenir *to retain, to reserve;* soutenir
to sustain

Vaincre *to conquer*
Infinitive vaincre; *Fut.* vaincrai; *Cond.* vaincrais
Pres. Part. vainquant; *Imperf. Indic.* vainquais; *Pres. Subj.* vain-
que, vainques, vainque, vainquions, vainquiez, vainquent
Past Part. vaincu; *Compound Past* j'ai vaincu
Pres. Indic. vaincs, vaincs, vainc, vainquons, vainquez, vainquent;
Imper. vaincs, vainquons, vainquez
Simple Past vainquis; *Imperf. Subj.* vainquisse

Like **vaincre**: convaincre *to convince*

Valoir *to be worth*
Infinitive valoir; *Fut.* vaudrai; *Cond.* vaudrais
Pres. Part. valant; *Imperf. Indic.* valais; *Pres. Subj.* vaille, vailles,
vaille, valions, valiez, vaillent
Past Part. valu; *Compound Past* j'ai valu
Pres. Indic. vaux, vaux, vaut, valons, valez, valent; *Imper.* vaux,
valons, valez
Simple Past valus; *Imperf. Subj.* valusse

Venir *to come*
Infinitive venir; *Fut.* viendrai; *Cond.* viendrais
Pres. Part. venant; *Imperf. Indic.* venais; *Pres. Subj.* vienne,
viennes, vienne, venions, veniez, viennent
Past Part. venu; *Compound Past* je suis venu
Pres. Indic. viens, viens, vient, venons, venez, viennent; *Imper.*
viens, venons, venez

Simple Past vins, vins, vint, vînmes, vîntes, vinrent; *Imperf. Subj.*
vinsse, vinsses, vînt, vinssions, vinssiez, vinssent

Like **venir: convenir** *to agree;* **devenir** *to become;* **intervenir** *to
intervene;* **parvenir** *to attain;* **prévenir** *to prevent, to warn;* **revenir**
to come back; **se souvenir de** *to remember*

Vivre *to live*
Infinitive **vivre;** *Fut.* **vivrai;** *Cond.* **vivrais**
Pres. Part. **vivant;** *Imperf. Indic.* **vivais;** *Pres. Subj.* **vive**
Past Part. **vécu;** *Compound Past* **j'ai vécu**
Pres. Indic. **vis, vis, vit, vivons, vivez, vivent;** *Imper.* **vis, vivons,
vivez**
Simple Past **vécus;** *Imperf. Subj.* **vécusse**

Like **vivre: survivre** *to survive*

Voir *to see*
Infinitive **voir;** *Fut.* **verrai;** *Cond.* **verrais**
Pres. Part. **voyant;** *Imperf. Indic.* **voyais;** *Pres. Subj.* **voie, voies,
voie, voyions, voyiez, voient**
Past Part. **vu;** *Compound Past* **j'ai vu**
Pres. Indic. **vois, vois, voit, voyons, voyez, voient;** *Imper.* **vois,
voyons, voyez**
Simple Past **vis;** *Imperf. Subj.* **visse**

Like **voir: prévoir** *to foresee;* **revoir** *to see again*

Vouloir *to wish, to want*
Infinitive **vouloir;** *Fut.* **voudrai;** *Cond.* **voudrais**
Pres. Part. **voulant;** *Imperf. Indic.* **voulais;** *Pres. Subj.* **veuille,
veuilles, veuille, voulions, vouliez, veuillent**
Past Part. **voulu;** *Compound Past* **j'ai voulu**
Pres. Indic. **veux, veux, veut, voulons, voulez, veulent;** *Imper.*
veuillez
Simple Past **voulus;** *Imperf. Subj.* **voulusse**

❧ VOCABULARY

This vocabularly omits words which have the same spelling and meaning in both languages.

Abbreviations

adj. *adjective*	irreg. *irregular*
adv. *adverb*	m. *masculine*
art. *article*	n. *noun*
cond. *conditional*	part. *participle*
conj. *conjunction*	pl. *plural*
def. *definite*	prep. *preposition*
f. *feminine*	pres. *present*
fut. *future*	pron. *pronoun*
imperf. *imperfect*	sing. *singular*
indic. *indicative*	subj. *subjunctive*
inter. *interrogative*	

a (third sing. pres. indic. of **avoir**) *has;* il y —, *there is, there are, ago* (with expression of time)

à prep. *to, at, in, with, of*

abaisser *to lower, to humble*

abbé m. *priest*

aborder *to accost, to speak to, to broach*

abréger *to shorten*

accaparer *to monopolize*

accentuer *to accentuate, to increase*

accoutumer *to accustom*

acheter *to buy*

achever *to finish*

actuel, actuelle adj. *current, of the present day, present*

actuellement adv. *at present*

adepte m. *practitioner*

adieu m. *farewell, good-by*

adjoindre irreg. verb *to join, to associate*

admettre irreg. verb (like **mettre**) *to admit*

adresse f. *skill, cunning, address*

affaire f. *affair, business*

affective adj. f. *emotional*

afin que conj. *in order that, so that*

affreux, affreuse adj. *terrible*

agir *to act;* s'— de *to be a question of, to concern*

agiter *to bother, to disturb*

agricole adj. *agricultural*

ai (first sing. pres. indic. of **avoir**) *have*

aie (imperative sing. of **avoir**) *have*

aie, aies, ait, aient (pres. subj. forms of **avoir**)

aille (pres. subj. of **aller**)

ailleurs adv. *elsewhere;* d'— *besides, moreover*

aimable adj. *pleasant, agreeable*

aimer *to like, to love*

ainsi adv. *thus, so, in this (that) manner;* — que *as;* il en est — *it is so*

aisé adj. *easy, well-off*

ajouter *to add*

alchimie f. *alchemy*

aliment m. *food*

alimentaire adj. *dietary;* régime — *diet*

aller irreg. verb *to go, to be* (of health); s'en — *to go away;* — à la recherche de *to go and seek;* il y va de . . . . . . *is at stake;* allez-y! *go ahead! go to it!*

allumer *to light*

alors adv. *then, in that case;* — que *whereas*

alpiniste m. *alpinist* (mountaineer)

amant m. *lover, sweetheart*

âme f. *soul*

ami m., **amie** f. *friend;* faux amis *false friends* (deceptive cognates)

amour m. *love;* — -propre *self-esteem*

amoureux, amoureuse adj. *loving, of love*

an m. *year;* avoir . . . —s *to be . . . years old*

ancien, ancienne adj. *former* (before noun); *ancient* (after noun)

anglais n. m., adj. *English*

Angleterre f. *England*

angoisse f. *anguish*

année f. *year*

annonce f. *advertisement*

apercevoir irreg. verb (like **recevoir**) *to perceive, to see;* s'— de *to notice*

apologue m. *apologue* (fable)

apparaître irreg. verb (like **connaître**) *to appear*

apparition f. *appearance*

appartenir irreg. verb (like **tenir**) *to belong*

appeler *to call;* s'— *to be called, to be named*

appliquer *to apply*

apporter *to bring*

apprendre irreg. verb (like **prendre**) *to learn, to teach*

après prep. *after*

arbre m. *tree*

arche f. *ark;* — sainte *holy ark* (forbidden ground)

argent m. *money*

arrêt m. *stop, stopping*

arrêter *to stop, to arrest, to decide*

arrière adv. *behind*

arriver *to arrive, to come, to happen, to succeed*

as (second sing. pres. indic. of **avoir**) *have*

asseoir irreg. verb *to seat;* s'— *to sit down*

assey- (see **asseoir** in Appendix D)

assez adv. *enough, quite*

assied, assieds (see **asseoir** in Appendix D)

assiér- (see **asseoir** in Appendix D)

assis (past part. of **asseoir**) *seated, sitting*

assistant m. *bystander, person present, witness*

assister: — à *to be present at, to attend, to witness*

assoi- (see **asseoir** in Appendix D)

assoy- (see **asseoir** in Appendix D)

atteindre irreg. verb (like **craindre**) *to attain, to reach*

atteint (past part. of **atteindre**) *stricken*

attendre *to wait for;* s'— à *to expect*

atténuer *to attenuate, to lessen*

attirer *to attract;* s'— *to draw upon oneself*

au = à + le

aucun: ne . . . — adj., pron. *no, not any, none, no one*

audace f. *audacity, boldness*

aujourd'hui adv. *today*

auparavant adv. *before*

aurai (fut. of **avoir**)

aurais (cond. of **avoir**)

aussi adv. *as, also; so* or *therefore* at beginning of clause); **tout —bien** *quite as much*

aussitôt adv. *immediately;* — **que** *as soon as*

autant adv. *as much, as many*

autour (**de**) adv., prep. *around*

autre adj. *other, different* (not translated in **nous autres, vous autres**)

autrefois adv. *formerly*

autrement adv. *otherwise*

autrui pron. *others, other people*

aux = à + les

avant prep. *before;* — **que** *before;* **en —** *ahead, forward*

avare n. m., adj. *miser, miserly, avaricious*

avec prep. *with*

avenir m. *future*

aveugle adj. *blind*

avez (second pl. pres. indic. of **avoir**) *have*

avion m. *airplane*

avis m. *opinion*

aviser, s'aviser de *to take into one's head, to venture*

avocat m. *lawyer*

avoir irreg. verb *to have;* — . . . **ans,** *to be . . . years old;* — **raison** *to be right;* — **tort** *to be wrong;* — **faim** *to be hungry;* — **honte** *to be ashamed;* — **soif** *to be thirsty;* — **peur** *to be afraid;* — **lieu** *to take place;* — **de la chance** *to be lucky*

avons (first pl. pres. indic. of **avoir**), *have*

avouer *to confess*

ayant (pres. part. of **avoir**) *having*

ayez, ayons (pl. imperative, pres. subj. forms of **avoir**)

baccalauréat m. *bachelor's degree* (a degree which, in France, admits to university study)

baisser *to go down*

barbe f. *beard*

baronne f. *baroness*

bâtir *to build*

bats, bat (pres. indic. sing. of **battre**)

battre irreg. verb *to beat;* **se —** *to fight*

beau adj. m. *beautiful, handsome;* **faire —** *to be fine* (weather)

beaucoup adv. *much, very much, a lot, a great deal*

beaux (m. pl. of **beau**) *beautiful, handsome*

bel adj. m. *beautiful, handsome*
belle adj. f. *beautiful, handsome*
bénéfice m. *benefit*
besoin m. *need;* **avoir — de** *to need;* **au — if** *need be*
bête n. f., adj. *beast, animal, fool, simpleton; stupid, foolish*
beurre m. *butter*
bien adv. *well, good, much, very, indeed, to be sure;* **— de** and def. art. *many, a great many;* **tout aussi —** *quite as much;* **— que** *although;* n. m., *wealth*
bienfait m. *benefit*
bientôt adv. *soon*
bienveillante adj. *kind*
blanche adj. f. *white*
blesser *to wound, to hurt*
blessure f. *wound*
boire irreg. verb *to drink*
bois, boit, boivent (pres. indic. forms of **boire**)
boive (pres. subj. of **boire**)
bon adj. m. *good*
bonheur m. *happiness, good fortune;* **par —** *fortunately*
bonne (fem. of **bon**) *good*
bord m. *edge, shore*
botanique f. *botany*
boucher m. *butcher*
bouillir irreg. verb *to boil*
boulet m. *cannon ball*
bous, bout (pres. indic. sing. of **bouillir**)
bout m. *end, tip;* **au — de** *after*
bouteille f. *bottle*
bras m. *arm*
brave adj. *good, worthy* (before noun); *brave* (after noun)
Bretagne f. *Brittany*
briller *to shine*
bruit m. *noise*
brusquement adv. *quickly*
bu (past part. of **boire**) *drunk*
bureau (pl. **bureaux**) m. *office*
bus, but (past def. of **boire**) *drank*

but m. *aim, goal, end*
buvais (imperf. indic. sing. of **boire**)
buvant (pres. part. of **boire**) *drinking*
buvons, buvez (pres. indic. and imperative of **boire**)

ça pron. (abbreviation for **cela**) *that*
cacher *to hide*
c.-à-d. (abbreviation for **c'est-à-dire**) *that is* (*to say*)
cahier m. *notebook*
calcaire adj. *calcium* (lit. *calcareous*)
calcifiant adj. *calcifying, calcium making*
campagne f. *campaign; country* (*-side*)
car conj. *for, because*
carrière f. *career*
causer *to chat*
ce adj., *this, that;* pron., *it, he, she, they;* **c'est que** *it is because, the fact is, the reason is*
ceci pron. *this*
cela pron. *that*
celle pron. *the one, she;* **— -ci** *this one, the latter;* **— -là** *that one, the former*
celles pron. *the ones, they;* **— -ci** *these, the latter;* **— -là** *those, the former*
celui pron. *the one, he;* **— -ci** *this one, the latter;* **— -là** *that one, the former*
cent adj. (*a*) *hundred;* **pour —** *per cent*
centaine f. *about one hundred; hundreds* (in plural)
cependant conj. *however, yet, nevertheless*
ce que (**ce qu'**) pron. *what, that which*
ce qui pron. *what, that which*
cerveau m. *brain*

ces adj. *these, those*

c'est-à-dire *that is (to say)*

cet, cette adj. *this, that*

ceux pron. *the ones, they;* — -ci *these, the latter;* — -là *those, the former*

chacun pron. *each (one)*

chaise f. *chair*

chaleur f. *heat*

chance f. *luck, good fortune, chance;* avoir de la — *to be lucky*

changement m. *change*

chanson f. *song*

chanter *to sing*

chaque adj. *each*

chasse f. *hunt, hunting;* chien de — *hunting dog*

chasser *to drive, to chase*

chat m. *cat*

chaud m. *warmth;* faire — *to be warm* (weather)

chemin m. *road*

cher (chère) adj. *dear* (after noun *expensive*)

chercher *to look for, to search for, to seek*

chéri adj. *cherished, dear, darling*

cheval m. *horse*

chevaux (pl. of cheval)

cheveux m. pl. *hair*

chez prep. *in (at, to) the home, office, shop of; with, among, in, in the works of*

chien m. *dog;* — de chasse *hunting dog*

chimie f. *chemistry*

chinois n.m., adj. *Chinese*

choisir *to choose*

choix m. *choice*

chose f. *thing*

-ci (short for ici) *here*

ciel (pl. cieux) m. *sky*

cinq adj. *five*

circulation f. *commerce, circulation, traffic*

citoyen m. *citizen*

clair adj. *clear*

clarté f. *clarity*

clémence f. *clemency*

clé f. *key*

clérical adj. *clerical* (favoring the church)

cœur m. *heart;* de grand — *gladly;* de tout — *with all one's heart*

colère f. *anger*

Colomb *Columbus*

combien (de) adv. *how much, how many*

commandant m. *major* (military)

comme adv., prep. *like, as, such as, how*

comment adv. *how;* —? *what?*

commettre irreg. verb (like mettre) *to commit*

complice m. *accomplice*

compositeur m. *composer*

comprendre irreg. verb (like prendre) *to understand*

compromettre irreg. verb (like mettre) *to compromise*

compte m. *count, account;* tenir — de *to take into account*

concurrent m. *competitor*

conduire irreg. verb *to conduct, to lead*

conduite f. *conduct*

conférence f. *lecture*

confiance f. *confidence, trust*

confier *to entrust;* se — *to confide*

connais, connaît (sing. pres. indic. of connaître)

connaiss- (see connaître in Appendix D)

connaissance f. *acquaintance, knowledge*

connaisse (pres. subj. of connaître)

connaître irreg. verb *to know, to be acquainted with*

connu (past part. of connaître) *known*

conquérant m. *conqueror*

conquête f. *conquest*

conquis (past part. of conquérir) *conquered*

conscience f. *consciousness, conscience*

conseil m. *council, counsel, advice*

conseiller m., conseillère f. *counsellor, advisor*

consentement m. *consent*

conséquent adj. *consequent;* par — *consequently*

constamment adv. *constantly*

constater *to state, to record, to ascertain*

construire irreg. verb *to construct, to build*

content adj. *happy, satisfied*

continu adj. *continuous*

contre prep. *against;* par — *on the other hand;* le pour et le — *the pros and cons*

convaincu adj. *convinced*

convenir (de) irreg. verb (like venir) *to agree, to suit*

corps m. *body;* esprit de — *esprit de corps, devotion to one's group*

corriger *to correct*

côté m. *side;* du — de *towards;* à — de *beside;* de l'autre — de *on the other side of*

coucher *to lay down;* se — *to go to bed*

couleur f. *color*

coup m. *blow, stroke, thrust;* — de pied *kick;* — de maître *master stroke;* — d'état (bloodless) *revolution;* — de vent *gust of wind;* tout à — *suddenly;* — de téléphone *telephone call*

coupable adj. *guilty*

courir irreg. verb *to run*

courbe f. *curve*

courrai (fut. of courir)

courrais (cond. of courir)

cours m. *course*

course f. *race*

court adj. *short, brief*

couru (past part. of courir) *run*

courus (past def. of courir)

coutume f. *custom*

couvert (past part. of couvrir) *covered, overcast*

couvrir irreg. verb (like ouvrir) *to cover;* se — *to cover oneself, to become overcast*

craignais (imperf. indic. of craindre)

craignant (pres. part. of craindre) *fearing*

craigne (pres. subj. of craindre)

craignons, craignez, craignent (forms of the pres. indic. of craindre)

craindre irreg. verb *to fear*

crains, craint (pres. indic. sing. of craindre)

craint (past part. of craindre) *feared* (see craint in previous item)

crainte f. *fear*

crâne m. *cranium, head*

cravate f. *necktie*

crayon m. *pencil*

créer *to create*

cri m. *cry*

critique m. *critic;* f. *criticism*

croire (à) irreg. verb *to believe (in)*

croiser *to cross*

croyais (imperf. indic. of croire)

croyant (pres. part of croire) *believing*

croyons, croyez (forms of the pres. indic. and imperative of croire)

cru (past part. of croire) *believed*

crus (past def. of croire)

curé m. *curate, father* (church title)

d'abord adv. *first, at first*

d'ailleurs adv. *besides, moreover*

dame f. *lady*

dans prep. *in, into, within*

davantage adv. *more, further*

de prep. *of, from, any, some*

déborder *to overflow*

début m. *beginning*

débuter *to begin*

décevoir irreg. verb (like **recevoir**) *to deceive, to disappoint*

découvert (past part. of **découvrir**) *discovered*

découverte f. *discovery*

décrire irreg. verb (like **écrire**) *to describe*

dedans: au — adv. *within*

défaire irreg. verb (like **faire**) *to unmake, to undo*

défaut m. *defect;* faire — *to be lacking*

défendre *to forbid, to defend*

déguiser *to disguise*

dehors: au — adv. *outside*

déjà adv. *already*

délégué m. *delegate*

délices f. pl. *delights*

demain adv. *tomorrow*

demander *to ask;* se — *to wonder*

demeurer *to live, to remain*

demi adj. *half*

démontrer *to demonstrate*

dénigrement m. *disparagement*

départ m. *departure*

dépêcher *to hurry*

dépens m. pl. *expense*

dépense f. *expenditure, expense*

dépenser *to spend*

dépit m. *spite*

déplaire irreg. verb (like **plaire**) *to displease*

dépôt m. *deposit*

depuis prep. *since;* — que *since;* — quand? *how long?;* — peu *recently*

dernier, dernière adj. *last*

derrière adv., prep. *behind*

des = de + les

dès prep. *from, since;* — que *as soon as*

désespoir m. *despair*

désintéressé n. m., adj., *unselfish* (person)

désormais adv. *henceforth, from then on, from now on*

dessin m. *plan, design*

détourner *to turn away*

détruire irreg. verb *to destroy*

détruit (past part. of **détruire**) *destroyed*

dette f. *debt*

deux adj. *two*

devant prep. *in front of, before, in the face of*

devenir irreg. verb (like **venir**) *to become*

devoir irreg. verb (see SECTION 71) *to owe, to have to, to be expected to, to be supposed to*

devoir m. *duty*

dévot adj. *devout*

devrai (fut. of **devoir**)

devrais (cond. of **devoir**)

didactique adj. *didactic*

difficile adj. *difficult, hard to please*

digne adj. *worthy*

dire irreg. verb *to say;* — que non *to say no;* vouloir — *to mean;* entrendre — *to hear said*

dis, dit (sing. forms, pres. indic., past def. of **dire**)

disais (imperf. indic. of **dire**)

discours m. *discourse, speech*

disgrâce f. *misfortune, disfavor*

disparaître irreg. verb (like **connaître**) *to disappear*

dispenser *to dispense, to distribute*

disponible adj. *available*

dit (past part. of **dire**) *said* (see dis above)

dites (second pl. pres. indic. and imperative of **dire**) *say*

dix adj. *ten*

dix-huitième adj. *eighteenth*

dix-neuvième adj. *nineteenth*

dix-septième adj. *seventeenth*

dizaine f. *about ten*

dois, doit, doivent (irreg. pres. indic. forms of devoir); il doit y avoir *there must be*

dommage m. *pity;* c'est — *it's a pity*

don m. *gift*

donc conj. *then, therefore*

donner *to give;* — lieu *to give rise;* où — de la tête *which way to turn*

dont pron. *whose, of whom, of which, in which, with which*

d'ordinaire adv. *ordinarily*

dormir (like sentir) *to sleep*

dos m. *back*

douce adj. (fem. of doux) *sweet, gentle, mild*

douleur f. *grief*

douter (de) *to doubt;* se — de *to suspect*

doux, douce adj. *sweet, gentle, mild*

douzaine f. *dozen*

douze adj. *twelve*

droit m. *right, law;* faire son — *to study law;* adj. *right*

du = de + le

dû (past part. of devoir)

dur adj. *hard*

durée f. *duration*

durer *to last*

dus (past def. of devoir)

eau f. *water*

ébranlé adj. *shaken, affected*

échange m. *exchange*

échapper à *to escape from*

éclair m. *lightning*

éclaircir *to clarify*

éclat m. *brilliance*

éclater *to burst out;* — de rire *to burst into laughter*

école f. *school*

écouter *to listen* (to)

écrire irreg. verb *to write*

écrit (past part. of écrire) *written*

écrit m. *writing;* par — *in writing*

écriture f. *writing, handwriting*

écrivain m. *writer*

écrivais (imperf. of écrire)

écrivant (pres. part. of écrire) *writing*

écrivons, écrivez, écrivent (irreg. forms of pres. indic. of écrire)

effectivement adv. *as a matter of fact*

effet m. *effect;* en — *in fact*

égal adj. *equal*

égard m. *regard;* à l'— de *concerning, with regard to*

égarer *to mislead*

égaux adj. (pl. of égal) *equal*

église f. *church*

eh bien! interjection *well!*

Eldorado *Eldorado* (imaginary land of great wealth in South America)

élève m., f. *pupil, student*

élever *to raise, to heighten;* s'— *to rise*

elle pron. *she, her, it*

elles pron. *they, them*

élu (past part. of élire) *elected*

empêcher *to prevent*

emporter *to win out;* s'— *to get angry*

en pron. *some, any, of it, of them, with it, some of it, some of them, from there;* prep. *in, like a*

enceinte f. *enclosure*

enchaîner *to link*

encore adv. *still, yet, again*

endormir (like sentir): s'— *to go to sleep, to fall asleep*

enfance f. *childhood, infancy*

enfant m., f. *child*

enfin adv. *finally, in short*

enfuir, s'— irreg. verb (like fuir) *to flee, to escape*

ennuyer *to bore;* s'— *to get bored*

enquête f. *inquiry, investigation*
enseigner *to teach*
ensemble adv. *together*; n. m. *whole*
ensuite adv. *next, afterwards*
entendre *to hear, to understand*, (figurative) *to mean*; — parler de *to hear about*; — dire *to hear said*
entre prep. *between, among, in*
entrée f. *entrance*
entreprendre irreg. verb (like prendre) *to undertake*
entretenir irreg. verb (like tenir) *to entertain, to maintain, to keep* (keep up); s'— *to converse*
enverrai (fut. of envoyer)
enverrais (cond. of envoyer)
envie f. *envy, desire*; il prend — de *one feels like*; avoir — de *to feel like* (doing something)
environ prep. *about*
envoyer irreg. verb *to send*; — chercher *to send for*
épée f. *sword*
épine f. *thorn*
épouvantable adj. *fearful*
épreuve f. *test*
éprouver *to feel, to experience*
épuiser *to exhaust*
es (second sing. pres. indic. of être) *are*
esclave m., f. *slave*
espace m. *space*
espacer *to space*
Espagne f. *Spain*
espèce f. *species, kind*
espérer *to hope*
espoir m. *hope*
esprit m. *mind, wit, intelligence, spirit*; — de corps *esprit de corps, devotion to one's group*; faire de l'— *to be witty*
essai m. *essay, trial, attempt*; à titre d'— *by way of trial, tentatively, experimentally*

essayer *to try*
est (third sing. pres. indic. of être) *is*; il en — ainsi *it is so*; il en — de *the same thing is true about*; — -ce que? (used to introduce a question); il — *there is*; c'— que *the reason is, the fact is, it is because*
et conj. *and*; — ... — *both ... and*
établir *to establish*
établissement m. *establishment*
étais (imperf. indic. of être)
étant (pres. part. of être) *being*
état m. *state*; coup d' — *revolution* (bloodless)
état-major m. *general staff* (military)
États-Unis m. pl. *United States*
été (past part. of être) *been*
été m. *summer*
éteindre irreg. verb *to extinguish*
étendre *to extend, to spread*
étendue f. *extent, space*
êtes (second pl. pres. indic. of être) *are*
étoile f. *star*
étonner *to astonish*
étranger: à l'— *abroad*
être irreg. verb *to be*
être m. *being*
étroit adj. *narrow*
étude f. *study*
étudiant m. *student*
étudier *to study*
eu (past part. of avoir) *had*
eus (past def. of avoir)
eux pron. *they, them*
événement m. *event*
évidemment adv. *evidently, clearly*
éviter *to avoid*
évoluer *to evolve*
évoquer *to evoke*
exemple m. *example*; par — *for example*; interjection *the idea! of course! you don't say! nonsense!* etc.

exigence f. *requirement*
exiger *to require, to demand*
expérience f. *experiment, experience*
expliquer *to explain*
exprimer *to express*

fabriquer *to make, to manufacture*
fabuliste m. *fabulist* (writer of fables)
face: en — de *facing, opposite*
facile adj. *easy*
façon f. *fashion, manner, way;* de — à *so as to*
faible adj. *weak, feeble*
faiblesse f. *weakness, feebleness*
faille (pres. subj. of **falloir**)
faim f. *hunger*
faire irreg. verb *to make, to do, to cause;* — son (leur) possible *to do his (their) best,* — beau *to be fine* (weather); — du soleil *to be sunny;* — de l'esprit *to be witty;* laisser — *to leave alone;* — défaut *to be lacking;* — des vers *to write poetry*
fais, fait (sing. pres. indic. of **faire**)
faisais (imperf. indic. of **faire**)
faisceau m. *bundle*
faisons (first pl. pres. indic. of **faire**) *do, make*
fait (past part. of **faire**) *done, made* (see **fais** above)
fait m. *fact;* tout à — *entirely, quite, completely*
faites (second pl. pres. indic. and imperative of **faire**) *do, make*
falloir irreg. verb *to be necessary;* s'en — *to lack*
fallu (past part. of **falloir**) *been necessary*
famille f. *family*
fantaisie f. *fancy, whim*
fasse (pres. subj. of **faire**)
fat adj. *silly*

faudra (fut. of **falloir**)
faudrait (cond. of **falloir**)
faut (pres. indic. of **falloir**) *is necessary;* il ne — pas *one must not*
faute f. *fault, mistake;* — de *for lack of*
faux adj. *false;* — amis *false friends* (deceptive cognates)
feint (past part. of **feindre**) *feigned*
femme f. *woman, wife*
fenêtre f. *window*
fer m. *iron;* chemin de — *train, railroad*
ferai (fut. of **faire**)
ferais (cond. of **faire**)
feu m. *fire*
feuille f. *leaf*
fièvre f. *fever*
Figaro (character from Beaumarchais' *Le Barbier de Séville*)
figure f. *face, figure* (appearance)
figurer: se — *to imagine*
fille f. *girl, daughter;* jeune — *girl;* belle-— *daughter-in-law*
fils m. *son, sons*
fin f. *end*
fin adj. *clever, fine*
finir *to finish*
fis (past def. of **faire**)
fixement adv. *fixedly, steadily*
flambeau m. *torch*
flamber *to burn*
fleur f. *flower*
fleuve m. *river*
flottant adj. *floating, uncertain*
foi f. *faith;* par ma — *upon my word*
fois f. *time, occasion;* à la — *at the same time*
folie f. *foolishness*
fond m. *background*
fondateur m. *founder*
fonder *to found, to establish*
font (third pl. pres. indic. of **faire**) *do, make*

fort adj. *strong;* adv. *very*
fou m. *madman*
fournir *to furnish*
fraîche adj. f. *fresh, blooming*
frais adj. *fresh, cool;* faire — *to be cool* (weather)
franche adj. *frank*
français n. m., adj. *French*
frère m. *brother*
frisson m. *shiver*
froid m. *cold;* faire — *to be cold* (weather)
front m. *forehead*
fuir irreg. verb *to flee, to run away*
fumer *to smoke*
fureur f. *fury*
fus(past def. of être)

gagner *to win, to gain, to earn*
garçon m. *boy*
garder *to keep, to guard;* se — bien de *to be very careful not to*
gaulois adj. *Gallic*
genou (pl. genoux) m. *knee*
genre m. *genre, form;* — humain *mankind*
gens m. pl. *people*
gentil, gentille adj. *kind, nice*
gilet m. *vest*
glacer *to freeze*
gourmand m. *glutton*
gourmet m. *connoisseur of food*
goût m. *taste*
grâce à prep. *thanks to*
grade m. *rank*
grand adj. *large, great, big, tall*
grandir *to grow, to increase*
gras, grasse adj. *fat. plump, fatty*
grec n. m., adj. *Greek*
Grèce f. *Greece*
gros, grosse adj. *big. large, fat*
groupement m. *grouping*
guère: ne . . . — adv. *hardly, scarcely;* ne . . . — que *hardly any, but*
guérir *to cure, to heal*

(*Aspirate* h *is marked with an asterisk*)
habitant m. *inhabitant*
habiter *to live (in)*
habitude f. *habit*
*haïr irreg. verb *to hate*
halluciné m. *deluded person*
*hardi adj. *bold*
*hasard m. *chance*
*hâte f. *haste*
*haut adj. *high;* à haute voix *aloud*
heure f. *time, hour, o'clock;* de bonne — *early*
heureux, heureuse adj. *happy, fortunate*
hier adv. *yesterday*
hiver m. *winter*
Hollandais m. *Dutchman*
homme m. *man*
*honte f. *shame;* avoir — *to be ashamed*
*honteux, honteuse adj. *shameful, ashamed*
huile f. *oil*
huit eight; — jours *a week*
humain adj. *human, humane;* genre — *mankind*
humeur f. *disposition, humor,* (archaic medical sense) *temper, humor*

ibérique adj. *Iberian, Spanish*
ici adv. *here;* —-bas *here below*
ignorer *to be unaware of, to be ignorant of, not to know*
il pron. *he, it, there*
il y a *there is, there are, ago* (with expression of time)
imaginante adj. *creative*
immuable adj. *unchangeable*
importer *to be important;* qu'importe? *what difference does it make?;* n'importe lequel *any, any whatever*
impuissant adj. *powerless, impotent*

inaperçu adj. *unnoticed*
incliner *to bow*
inconnu n. m., adj. *unknown* (person)
indiquer *to indicate*
infaillible adj. *infallible*
infini n. m., adj. *infinite*
ingrat n. m., adj. *ingrate, ungrateful* (one)
injure f. *insult*
injurier *to insult*
inquiétude f. *worry, anxiety*
inscrire irreg. verb (like **écrire**) *to inscribe*
insensible adj. *imperceptible*
instruire irreg. verb *to instruct, to educate*
intempérant adj. *intemperate*
intéresser *to interest;* s'— à *to be interested in*
intérêt m. *interest, self-interest*
interroger *to question*
intervenir irreg. verb (like **venir**) *to intervene*
introduire irreg. verb *to introduce*
inutile adj. *useless*
invoquer *to invoke*
irai (fut. of **aller**)
irais (cond. of **aller**)

jaloux adj. *jealous*
jamais: ne . . . — adv. *never, not ever;* à — *forever*
jambe f. *leg*
janvier m. *January*
jardin m. *garden*
jaune adj. *yellow;* livre — *Yellow Book* (name of a French Foreign Office publication)
jeter *to throw;* se — *to empty*
jeune adj. *young;* — fille *girl*
Joconde, La, masterpiece of Leonardo da Vinci, also known as *Mona Lisa*
joie f. *joy*
joindre irreg. verb (like **craindre**) *to join*

jointure f. *joint*
joli adj. *pretty*
jouer *to play*
jouir *to enjoy*
jour m. *day* huit —s *a week;* quinze —s *two weeks*
journal (pl. **journaux**) m. *newspaper*
journée f. *day*
juger *to judge*
juillet m. *July*
jurer *to swear, to attest*
juridique adj. *judicial*
jus m. *juice*
jusqu'à prep. *up to, even;* — ce que *until*
justement adv. *exactly, precisely, as it happened*

l' def. art. *the;* pron. *him, her, it*
la def. art. *the;* pron. *her, it*
là adv. *there;* par — même *for that very reason*
lâche adj. *cowardly*
laisser *to leave, to let;* ne laisse pas *doesn't fail;* — faire *to leave alone*
langue f. *language, tongue*
languissant adj. *languishing*
lapin m. *rabbit*
laquelle pron. *who, whom, which, that, which one*
large adj. *broad*
laudative adj. *laudatory*
le def. art. *the;* pron. *him, it*
leçon f. *lesson*
lecteur m. *reader*
lecture f. *reading*
légèreté f. *lightness, superficiality*
légume m. *vegetable*
lendemain m. *following day*
lequel pron. *who, whom, which, that, which one*
les def. art. *the;* pron. *them*
lèse-humanité f. *crime against humanity*
lèse-justice f. *crime against justice*

lesquel(le)s pron. *who, whom, which, that, which ones*

leur pron. *to them;* def. art. + *— theirs*

leur, leurs adj. *their*

lever *to raise;* se — *to rise, to get up*

lieu (pl. lieux) m. *place;* donner — *to give rise;* avoir — *to take place*

lire irreg. verb *to read*

lis, lit (sing. pres. indic. of lire)

lisais (imperf. indic. of lire)

lise (pres. subj. of lire)

livre m. *book;* — jaune *Yellow Book* (name of a French Foreign Office publication)

locomotrice adj. *locomotor*

loi f. *law*

loin adv. *far;* n. m. *distance*

lointain adj. *distant, far away*

Londres *London*

longtemps adv. (*a*) *long time, long*

lorsque conj. *when*

Louis XIV (1638–1715) called Le Roi Soleil

Louis XV (1710–1774) great-grandson of Louis XIV

Louis XVIII (1755–1824) After the fall of Napoleon in 1815, he continued the line of monarchs.

loyaux adj. (pl. of *loyal*)

lu (past part. of lire) *read*

lui pron. *he, him, to him, to her;* — -même *himself, itself*

lundi m. *Monday*

l'un l'autre pron. *both, each (other)*

lutte f. *struggle*

lutter *to struggle*

luxe m. *luxury*

M. abbreviation for monsieur

madame f. *Mrs.*

mademoiselle f. *Miss*

main f. *hand*

maintenant adv. *now*

maintenir irreg. verb (like tenir) *to maintain*

maire m. *mayor*

mais conj. *but*

maison f. *house*

maître m. *master, teacher;* coup de — *master stroke*

maîtresse f. *mistress, sweetheart*

maîtriser *to master*

mal m. *misfortune, evil;* — à la tête *headache;* adv. *badly*

malade adj. *sick;* n. m. *patient*

maladie f. *sickness*

malheur m. *misfortune;* par — *unfortunately*

malheureuse adj. *unfortunate*

manger *to eat*

manquer *to be lacking, to be missing*

manière f. *manner*

marche f. *progress; running, functioning* (of mechanisms); se (re)mettre en — *to start (again)*

marcher *to walk; to run, to go, to function* (of mechanisms)

maréchal m. *marshal*

mari m. *husband*

marier *to marry off, to give in marriage;* se — *to get married*

marque f. *mark, sign*

matière f. *matter, subject matter*

mauvais adj. *bad;* faire — *to be bad* (weather)

maux (pl. of mal)

me pron. *me, to me*

méchant adj. *wicked*

mécontent adj. *dissatisfied*

médecin m. *doctor*

médecine f. *medicine*

meilleur adj. *better, best*

mélanger *to mix*

mêler *to mix, to mingle;* se — de *to dabble in, to meddle with*

même adj. *same, self, very, even;*

lui-— *himself, itself;* quand —
anyhow, even if; par là — *for
that very reason;* tout de — *just
the same*

mener *to lead, to conduct*

mentir (like sentir) *to lie*

menu adj. *minute, small, minor*

méprendre irreg. verb (like prendre): se — *to be mistaken*

mer f. *sea*

merci interjection *thanks, thank
you*

mère f. *mother;* belle-— *mother-
in-law*

méridional adj. *southern*

mes adj. pl. *my*

mesure: a — que *as, in proportion as*

métaux (pl. of métal)

métier m. *trade, calling, profession*

mets, met (sing. pres. indic. of
mettre)

mettre irreg. verb *to put, to put
on;* se — à *to begin;* se — en
route *to set out, to start;* se —
en marche *to start;* — à la
porte *to put (throw) out*

meure (pres. subj. of mourir)

meurs, meurt, meurent (irreg.
forms, pres. indic. of mourir)

mien(ne): le (la) — pron. *mine*

mieux adv. *better, best;* valoir —
to be better

milieu m. *middle ground, milieu
(environment)*

minéraux (pl. of minéral)

minutieux, minutieuse adj. *minute*

miroir m. *mirror*

mis (past def. of mettre)

mis (past part. of mettre), *put*
(see mis in previous line)

Mlle abbreviation for mademoiselle

Mme abbreviation for madame

mode f. *mode, style;* à la — *in
style*

moi pron. *me, to me*

moindre adj. *least (lesser)*

moins adv. *less, least;* au (du)
— *at least;* à — que *unless*

mois m. *month*

mon adj. *my*

Mona Lisa (see Joconde)

monde m. *world;* tout le —
everyone

monnaie f. *money*

monseigneur m. *my lord*

monsieur m. *Mr., sir, gentleman*

montagne f. *mountain*

monter *to mount, to climb*

montrer *to show*

moquer: se — de *to make fun of*

mort (past part. of mourir) *died*

mort f. *death*

mot m. *word*

mourir irreg. verb *to die;* se —
to be dying

mourrai (fut. of mourir)

mourrais (cond. of mourir)

mourus (past def. of mourir)

mouvoir: se — irreg. verb *to
move*

moyen m. *means*

nais, naît (pres. indic. sing. of
naître)

naissais (imperf. indic. of naître)

naissance f. *birth*

naisse (pres. subj. of naître)

naissons, naissez, naissent (pres.
indic. pl. of naître)

naître irreg. verb *to be born, to
result*

naquis (past def. of naître)

nationaux adj. (pl. of national)

né (past part. of naître) *been
born*

négliger *to neglect*

nerf m. *nerve*

n'est-ce pas? (used to ask a question after a statement) *won't
you? doesn't he? didn't I?
wouldn't she?* etc.

neuf adj. *new, nine*

nez m. *nose*

ni . . . ni . . .: ne . . . — . . .
— adv. *neither . . . nor*

n'importe quel *any, any whatever*

noblesse f. *nobility*

Noël m. *Christmas*

noir adj. *black*

nom m. *name*

nombreux, nombreuse adj. *numerous*

nommer *to name*

non adv. *no, not;* — plus *either,
neither*

nord m. *north*

nos adj. pl. *our*

nôtre: (le, la)— pron. *ours*

notre adj. *our*

nourriture f. *food*

nous pron. *we, us, to us*

nouveau adj. *new;* de — *again*

nouveauté f. *novelty*

nouvelle adj. *new*

nouvelle f. *short story*

nuance f. *shade*

nuit f. *night*

nul: ne . . . — pron., adj. *no
one, nobody*

nullement: ne . . . — adv. *not
at all*

obéir *to obey*

occidental adj. *Western*

œil m. *eye*

offert adj. *offered*

omettre irreg. verb (like mettre)
to omit

on pron. *one, we, you, they,
people*

ont (third pl. pres. indic. of
avoir) *have*

opérer *to operate;* s'— *to occur*

or m. *gold*

or adv., conj. *now*

ordonner *to order*

oreille f. *ear*

orgueil m. *pride*

orientaux adj. (pl. of oriental)

oser *to dare*

ôter *to take away, to remove*

ou conj. *or;* — . . . —, *either
. . . or*

où adv. *where, in which, to
which, at which, on which,
when*

oublier *to forget*

ouest m. *west*

oui adv. *yes*

ouvert (past part. of ouvrir)
opened

ouvrage m. *work of art, literature*

ouvrir irreg. verb *to open*

palais m. *palace;* — de l'Élysée
(residence of the president of
France)

par prep. *by, through;* — conséquent *consequently;* — là
(cela) même *for that very
reason;* — contre *on the other
hand;* — ma foi *upon my word*

parabole f. *parable*

paraître irreg. verb (like connaître) *to appear, to seem*

parce que conj. *because*

parcourir irreg. verb (like courir)
to travel through

parent m. *relative, parent*

parfum m. *perfume*

parler *to speak, to talk;* entendre
— de *to hear about*

parmi prep. *among, between*

parole f. *speech, (spoken) word*

partager *to share*

particule f. *particle*

particulier n.m., particulière n. f.
individual; adj. *peculiar, special*

partie f. *part*

partir (like sentir) *to leave;* à —
de *after, from . . . on*

partout adv. *everywhere*

pas: ne . . . — adv., *not*

pas du tout: ne . . . — adv. *not
at all*

passager, passagère adj. *passing*

passé m. *past*

passer *to pass, to spend;* se — *to go on, to happen;* se — de *to get along without*

passe-temps m. *pastime*

patrie f. *country, native land*

patte f. *foot, leg;* à quatre —s *on all fours*

pauvre adj. *poor*

payer *to pay (for)*

pays m. *country, countries*

peindre irreg. verb (like craindre) *to paint*

peine f. *pain, penalty, sorrow, trouble;* être en — *to have difficulty;* valoir la — de *to be worth while to;* à — *scarcely*

peintre m. *painter*

peinture f. *painting*

pendant prep. *during*

pensée f. *thought*

penser *to think;* — à *to think of*

perdre *to lose*

père m. *father*

périphérique adj. *peripheral, surface*

périr *to perish*

permettre irreg. verb (like mettre) *to permit*

personne f. *person;* ne . . . — *no one, nobody*

petit adj. *small, little;* un — peu *a little bit*

petitesse f. *smallness*

peu (de) adv. *few, little;* un petit — *a little bit*

peuple m. *(common) people, populace*

peur f. *fear;* avoir — *to be afraid;* de — de *for fear of*

peut-être adv. *perhaps*

peut (third sing. pres. indic. of pouvoir) *can, is able;* il se — *it is possible;* on ne — pas y tenir *one can't stand it*

peuvent (third pl. pres. indic. of pouvoir) *can, are able*

peux (first, second sing. pres. indic. of pouvoir)

photographie f. *photograph*

phrase f. *sentence*

physiologue m. *physiologist*

physicien m. *physicist*

physique f. *physics*

pièce f. *room, play, piece, piece of evidence*

pied m. *foot;* à — *on foot;* coup de — *kick*

pierre f. *stone*

pire adj. *worse, worst*

pivoine f. *peony*

place f. *public square, seat, place*

plaindre irreg. verb (like craindre) *to pity;* se — *to complain*

plaine f. *plain*

plaire irreg. verb *to please*

plais, plaît (sing. pres. indic. of plaire); s'il vous plaît *(if you) please*

plaisais (imperf. indic. of plaire)

plaisant adj. *funny, queer, pleasant*

plaisanter *to joke*

plaise (pres. subj. of plaire)

plein adj. *full;* en — air *in the open air;* en pleine saison *at the height of the season*

pleurer *to weep, to cry*

pleut (pres. indic. of pleuvoir) *rains*

pleuvoir irreg. verb *to rain*

pleuvra (fut. of pleuvoir) *will rain*

pleuvrait (cond. of pleuvoir) *would rain*

plu (past part. of plaire and pleuvoir)

plupart f. *majority, most*

plus adv. *more;* ne . . . — *no more, no longer;* non — *either, neither;* ne . . . — que *only;* de — *additional, more* plus (past def. of **plaire**)

plusieurs adj. *several*

plut (past def. of **pleuvoir**) *rained*

plutôt adv. *rather*

poésie f. *poetry*

point: ne . . . — adv. *not at all*

poli adj. *polite*

politique f. *policy, politics*

porte f. *door, gate;* **mettre à la — ** *to put (throw) out*

porter *to carry, to wear, to put, to bring*

portugais n. m., adj. *Portuguese*

poser *to put, to establish;* — **une question** *to ask a question*

possible adj.: **faire leur (son) — ** *to do their (his) best*

pour prep. *for, in order to, to;* **— que** *so that, in order that;* **— . . . que** *however;* **— cent** *per cent;* **le — et le contre** *the pros and cons*

pourquoi interr. adv., conj., *why*

pourrai (fut. of **pouvoir**)

pourrais (cond. of **pouvoir**)

pourtant adv. *nevertheless, however, yet*

pourvu que conj. *provided that*

pousser *to push, to utter*

pouvoir irreg. verb *to be able;* n. m. *power*

pratique adj. *practical*

précepteur m. *tutor*

premier, première adj. *first* (abbreviated **1er, 1ère**)

prenais (imperf. indic. of **prendre**)

prendre irreg. verb *to take;* **s'y — ** *to go about* (doing something): **il prend envie de** *one feels like*

prenne (pres. subj. of **prendre**)

prennent (third pl. pres. indic. and subj. of **prendre**)

prenons, prenez (first, second pl. pres. indic. imperative of **prendre**)

près (**de**) adv., prep. *near, nearly;* **de — ** *closely;* **à peu — ** *nearly, about, approximately*

presque adv. *almost, hardly*

presser *to hasten*

pression f. *pressure*

prêt adj. *ready*

prétendre *to claim*

prêter *to lend, to attribute*

preuve f. *proof*

prévenir irreg. verb (like **venir**) *to prevent*

prévoir irreg. verb (like **voir**) *to foresee*

prier *to beg*

principaux n. m., adj. (pl. of **principal**)

principe m. *principle, beginning*

printemps m. *spring*

pris (past def. of **prendre**)

pris (past part. of **prendre**) *taken*

priver *to deprive*

prix m. *price, value*

prochain adj. *next*

prodige m. *marvel*

produire irreg. verb *to produce*

produit (past part. of **produire**) *produced*

profond adj. *deep, profound, distant*

promenade f. *walk, ride;* **faire une — ** *to take a walk (ride)*

promettre irreg. verb (like **mettre**) *to promise*

propos: **à — ** *concerning*

propre adj. *own* (before noun); **ne pas être — à rien** *to be good for nothing*

propriété f. *property*

protéger *to protect*

prouver *to prove*

provenir irreg. verb (like **venir**) *to come, to arise*

provisoire adj. *provisional*

pu (past part. of **pouvoir**) *been able*

publier *to publish*

puis adv. *then, next*

puis (first sing. pres. indic. of pouvoir) *can, am able*
puissamment adv. *powerfully*
puissant adj. *powerful*
puisse (pres. subj. of pouvoir)
pus (past def. of pouvoir)

quand conj. *when;* — même *anyhow, even if;* depuis —? *how long?*
quant à prep. *as to, as for*
quart m. *quarter*
quatre adj. *four*
quatrième adj. *fourth*
que pron., conj. *whom, which, that, than, except, how, why, namely;* — de *how many, what a lot of*
que: ne . . . — adv. *only, nothing but*
quel, quelle adj. *which, what, what a;* — . . . que *whatever*
quelconque adj. *whatever*
quelque adj. *some, any;* —s *a few;* — . . . que *however, whatever*
quelquefois adv. *sometimes*
quelqu'un(e) pron. *someone*
quereller: se — *to quarrel*
qu'est-ce que? pron. *what? what is?;* — c'est? *what is it?;* — c'est que ceci (cela)? *what is this (that)?*
qu'est-ce qui? pron. *what?*
qui pron. *who, whom, which, that, he who, those who;* à —, de — *whose?;* — que *whoever*
qui est-ce que? pron. *whom?*
qui est-ce qui? pron. *who?*
quinze *fifteen;* — jours *two weeks*
quitter *to leave*
quoi pron. *what, which;* à — sert? *what is . . . good for?; what is . . . used for;* — que *whatever*
quoique conj. *although*

rachitisme m. *rickets*
raconter *to tell, to relate*
railler *to mock, to deride*
raison f. *reason, argument;* avoir — *to be right*
raisonneur m. *reasoner, rationalist*
rang m. *rank, row*
rappeler *to recall*
rapport m. *relationship, report;* sous le — de *in the matter of*
rasseoir irreg. verb (like asseoir) *to seat again;* se — *to sit down again*
ravi adj. *delighted*
rayon m. *ray*
réagir *to react*
recevoir irreg. verb *to receive, to get*
recherche f. *research, seeking, search;* aller à la — de *to go and seek (look for)*
récit m. *tale, account*
reçois, reçoit, reçoivent (irreg. pres. indic. forms of recevoir)
reconnaître irreg. verb (like connaître) *to recognize*
recours m. *recourse*
recouvrer *to recover*
recouvrir irreg. verb (like ouvrir) *to re-cover (cover again)*
récrire irreg. verb (like écrire) *to rewrite*
reçu (past part. of recevoir) *received;* être — à *to pass (examination)*
reculer *to draw back*
reçus (past def. of recevoir)
réfléchir *to reflect;* — à *to reflect on, to think carefully about*
regarder *to look (at), to concern, to consider*
régime m. *diet;* — alimentaire *diet*
règne m. *reign, kingdom, sphere*
régner *to reign*
Reims *Rheims*
relever *to raise*

relier *to bind*

relire irreg. verb (like **lire**) *to reread*

relu (past part. of **relire**) *reread*

remarquer *to notice, to observe, to remark*

remercier *to thank*

remettre irreg. verb (like **mettre**) *to postpone, to hand over, to put back;* se — en marche *to start again*

remplacer *to replace*

remplir *to fill, to fulfill*

renaître irreg. verb (like **naître**) *to reappear, to be born again*

rencontrer *to meet*

rendez-vous m. *meeting, rendez-vous, date*

rendre *to render, to give back, to make;* se — *to surrender, to make oneself*

renommée f. *renown, fame*

renouveler *to renew*

renseigner *to inform*

rentrer *to return home, to form part of*

renvoyer irreg. verb (like **envoyer**) *to send away, to dismiss*

répartir *to divide*

répartition f. *distribution*

répondre *to answer, to respond, to correspond*

reprendre irreg. verb (like **prendre**) *to resume, to take back*

représentation f. *performance*

rester *to remain, to stay*

rétablir *to re-establish*

retenir irreg. verb (like **tenir**) *to retain, to remember*

réunion f. *meeting, reunion*

réunir *to gather, to unite;* se — *to gather together, to meet*

réussir (à) *to succeed (in)*

revanche f. *revenge;* en — *on the other hand*

revenir irreg. verb (like **venir**) *to return, to come back*

Rhin m. *Rhine*

ri (past part. of **rire**) *laughed*

ridiculiser *to ridicule*

rien: ne . . . — pron. *nothing, not anything;* cela ne fait — *that makes no difference;* n'être propre à — *to be good for nothing*

rimer *to rhyme, to write verse*

rire irreg. verb *to laugh;* se — de *to laugh at, to make fun of;* éclater de — *to burst into laughter* n. m., *laughter, laugh*

ris, rit (pres. indic. and past def. forms of **rire**)

rivaliser *to rival, to compete*

robe f. *dress*

rocher m. *rock*

roi m. *king*

romain n. m., adj. *Roman*

roman m. *novel*

roman adj. *Romance*

romancier m. *novelist*

rompre *to break*

rouge adj. *red*

rougir *to blush*

roumain m. *Roumanian*

route f. *road;* se mettre en — *to set out, to start (off)*

rouvrir irreg. verb (like **ouvrir**) *to open again*

royaume m. *kingdom*

rude adj. *rough, harsh*

sa adj. *his, her, its*

sachant (pres. part. of **savoir**) *knowing*

sache, sachons, sachez (imperative of **savoir**)

sache (pres. subj. of **savoir**)

sacré adj. *sacred*

sage adj. *wise*

saint adj. *saintly, holy;* arche —e *holy ark* (forbidden ground)

sais, sait (pres. indic. sing. forms of **savoir**)

saisir *to seize*

salaire m. *wages*

salon m. *salon, drawing room*

saluer *to salute, to greet*

sang m. *blood*

sans prep. *without;* — que *without*

santé f. *health*

satisfaire irreg. verb (like faire) *to satisfy*

saurai (fut. of savoir)

saurais (cond. of savoir)

sauver *to save*

savant m. *scholar, savant;* adj., *learned*

savoir irreg. verb *to know (how);* à — *namely, to wit*

séduit adj. *charmed, misled*

seize adj. *sixteen*

sel m. *salt*

selon prep. *according to*

semaine f. *week*

semblable adj. *like;* n. m. *fellowman*

sembler *to seem*

sens m. *sense, meaning, direction*

sensible adj. *sensitive, responsive*

sensibilité f. *sensitivity*

sentence f. *judgment, verdict*

sentir *to feel;* se — *to feel*

serai (fut. of être)

serais (cond. of être)

servir (like sentir) *to serve, to be of use;* — de *to serve as;* se — de *to use, to make use of;* à quoi sert . . . ? *what is . . . good for?*

ses adj. pl. *his, her, its*

seul adj. *alone, only, single*

si conj. *if, so, suppose, yes* (after a negative); si . . . que *however*

siècle m. *century*

sien(ne): le (la) — pron. *his, hers, its*

sieur m. *mister, sir*

signaler *to indicate, to signal*

s'il vous plaît *please*

sinon conj. *if not*

sire m. *sire* (title of king)

slave adj. *Slavic*

sœur f. *sister*

soi pron. *oneself*

soir m. *evening*

soirée f. *evening*

sois, soit, soient (pres. subj. forms of être); soit . . . soit *either . . .or;* soit *let, suppose, required;* soit! *so be it!*

soixante adj. *sixty*

soldat m. *soldier*

soleil m. *sun*

solennité f. *solemn occasion*

somme f. *sum*

sommes (first pl. pres. indic. of être) *are*

sommet m. *summit*

son m. *sound*

son adj. *his, her, its*

songer (à) *to think (of)*

sont (third pl. pres. indic. of être) *are*

sort m. *lot, fate*

sorte f. *sort, way, kind, manner;* de la — *in this (that) way*

sortir (like sentir) *to go out*

sot m. *fool;* adj. *foolish*

sottise f. *foolishness*

soucier: se — de *to care for*

souffert (past part. of souffrir) *suffered*

souffler *to breathe*

souffrance f. *suffering*

souffrir irreg. verb (like ouvrir) *to suffer, to allow, to endure, to stand* (figurative)

souhaiter *to wish*

souligner *to underline, to emphasize*

soumettre irreg. verb (like mettre) *to submit*

soumis (past part. of soumettre) *submitted*

soumission f. *submission*

soupçon m. *suspicion*

souple adj. *supple*

sourire irreg. verb (like **rire**) *to smile*; n. m. *smile*

sous prep. *under, beneath*; — **le rapport de** *in the matter of*

souscrire irreg. verb (like **écrire**) *to subscribe*

soutenir irreg. verb (like **tenir**) *to sustain, to maintain, to hold*

souvenir irreg. verb (like **venir**): **se** — **de** *to recall*; n. m. *memory, remembrance, recollection*

souvent adv. *often*

souverain adj. *sovereign*

soyez tranquille *don't worry*

soyons, soyez (pres. subj. and imperative forms of **être**)

spirituel, spirituelle adj. *witty, lively, humorous, spiritual*

statut m. *statute, law*

su (past part. of **savoir**) *known, learned, found out*

subit adj. *sudden*

sucre m. *sugar*

sud m. *south*

suffire irreg. verb. *to suffice*

suffisant adj. *sufficient*

suis (first sing. pres. indic of **être**) *am*

suis, suit (pres. indic. sing. of **suivre**)

Suisse f. *Switzerland*

suite f.: **à la** — **de** *as a result of*; **tout de** — *immediately, at once*

suivi (past part. of **suivre**) *followed*

suivre irreg. verb *to follow*

sujet m. *subject*

superbe adj. *superb, proud, haughty*

superflu n. m., adj. *superfluous*

sur prep. *on, upon*

sûr adj. *sure*

surgir *to surge, to spring up*

surprendre irreg. verb (like **prendre**) *to surprise*

surtout adv. *especially, above all*

sus (past def. of **savoir**)

ta adj. *your*

tableau (pl. **tableaux**) m. *picture*

tâche f. *task*

tâcher (**de**) *to try* (*to*)

taire: se — irreg. verb (like **plaire**), *to be silent, to hold one's tongue*

tandis que conj. *while, whereas*

tant (**de**) adv. *so much, so many*; — **que** *as long as*

tard adv. *late*

tâter *to feel*

te pron. *you, to you*

tel, telle adj. *such* (*a*); — **que** *such as*; **monsieur un tel** *Mr. So-and-so*

téléphone m. *telephone*; **un coup de** — *a telephone call*

temps m. *weather, time*; **à** — *on time*; **de** — **en** — *from time to time*

tendance f. *tendency*

tendresse f. *tenderness*

tenez! interjection *here! look here! see here!*

tenir irreg. verb *to hold*; — **compte de** *to take into account*; — **à** *to insist upon, to be anxious to*; **on ne peut pas y** — *one can't stand it*

terrain m. *terrain, field*

terre f. *earth, land, world*

terrestre adj. *terrestrial, earthly*

Terreur f. *Reign of Terror* (name given to the bloodiest period of the French Revolution)

tes adj. pl. *your*

tête f. *head*; **mal à la** — *headache*; **où donner de la** — *which way to turn*; **faire tourner la** — *to make* (someone) *fall in love*

thé m. *tea*

tien(ne): le (**la**) — pron. *yours*

tiens! interjection, *well! really! you don't say!* etc.

titre m. *title*; **à** — **de** *by way of*

toi pron. *you, to you, yourself*

tomber *to fall*

ton m. *tone*

ton adj. *your*

tort: avoir — *to be wrong*

toujours adv. *always, still*

tour m. *turn*

tour f. *tower*

tourner *to turn;* faire — la tête *to make* (someone) *fall in love*

tous (m. pl. of tout); — (les) deux *both*

tout adj., n. m., adv. *all, everything, every, whole, completely;* — le monde *everyone;* — de suite *immediately, at once;* — à coup *suddenly;* — à fait *quite, naturally, completely;* — aussi bien *quite as much*

trahir *to betray*

trahison f. *treason*

traiter *to treat*

tranquille adj. *calm, peaceful tranquil*

transmettre irreg. verb (like **mettre**) *to transmit*

travail m. *work*

travaux (pl. of travail)

trente adj. *thirty*

très adv. *very*

trois adj. *three*

troisième adj. *third*

tromper *to deceive;* se — *to be mistaken*

trop adv. *too much, too*

trouver *to find;* se — *to be, to happen to be*

tuer *to kill*

Turquie f. *Turkey*

un, une indefinite art. *a, an, one*

unique adj. *sole, only*

utile adj. *useful*

va! interjection *the idea! I assure you!* etc.

va (third sing. pres. indic. of aller) *goes, is going;* il y — de . . . . . . *is at stake*

vacances f. pl. *vacation*

vaille (pres. subj. of valoir)

vaincu (past part. of vaincre) *conquered*

vais (first sing. pres. indic. of aller) *go, am going*

vaisseau (pl. **vaisseaux**) m. *vessel*

vallée f. *valley*

valoir irreg. verb *to be worth;* — la peine de *to be worth while to;* — mieux *to be better*

vapeur f. *vapor* (archaic medical sense); *steam*

vas (second sing. pres. indic. of aller) *go, are going*

vaudrai (fut. of valoir)

vaudrais (cond. of valoir)

vaux, vaut (pres. indic. sing. forms of valoir)

vécu (past part. of vivre) *lived*

vécus (past def. of vivre)

végétal n. m., adj., *plant*

vendre *to sell*

vénéré adj. *venerated*

venir irreg. verb *to come;* — de (+ infinitive) *to have just;* — à *to happen to*

vent m. *wind;* coup de — *gust of wind*

ventre m. *stomach*

venu (past part. of venir) *come*

vérité f. *truth;* à la — *in truth*

verrai (fut. of voir)

verrais (cond. of voir)

verre m. *glass*

vers m. *line;* faire des — *to write poetry*

vers prep. *about, toward*

veuille (pres. subj. of vouloir)

veuillez (imperative of vouloir) *please, have the kindness to*

veux, veut, veulent (irreg. forms pres. indic. of vouloir)

vie f. *life*

vieil, vieille adj. *old*

vieillard m. *old man, old person*
vieillesse f. *old age*
vieillir *to grow old*
viendrai (fut. of venir)
viendrais (cond. of venir)
vienne (pres. subj. of venir)
viens, vient, viennent (irreg. forms pres. indic. of venir)
vieux adj. *old*
vif adj. *keen, lively*
ville f. *city;* en — *downtown*
vin m. *wine*
violer *to violate*
vis (past def. of voir)
vis, vit (irreg. pres. indic. of vivre). See previous entry.
vite adv. *quickly*
vive adj. (fem. of vif)
vivre irreg. verb *to live*
voici prep. *here is (are)*
voie f. *way;* en — de *in the process of*
voilà prep. *there is (are)*
voile m. *veil*
voir irreg. verb *to see*
voisin(e) m. (f.) *neighbor*
voix f. *voice;* à haute — *aloud*
voler *to steal*
volontairement adv. *wilfully*
volonté f. *will, wish, willingness*
vont (third pl. pres. indic. of aller) *go, are going*
vos adj. pl. *your*
vôtre: (le) (la) — pron. *yours*

votre adj. *your*
voudrai (fut. of vouloir)
voudrais (cond. of vouloir)
vouloir irreg. verb *to wish;* — bien *to be willing;* — dire *to mean;* — c'est pouvoir *where there's a will there's a way*
voulu (past part. of vouloir) *wished*
voulus (past def. of vouloir)
vous pron. *you, to you*
voyage m. *trip, voyage*
voyager *to travel*
voyais (imperf. indic. of voir)
voyez, voyons (irreg. forms pres. indic. and imperative of voir)
voyons! interjection *come now! the idea!* etc.
vrai adj. *true*
vu (past part. of voir) *seen;* prep. *in view of*
vue f. *view, sight*

y pron., adv. *there, to it, at it, in it, on it;* il — a *there is (are)*; il doit — avoir *there must be;* il peut — avoir *there can be, there may be*
y a-t-il? *is (are) there?*
yeux (pl. of œil) *eyes*

Zarathoustra character in Nietzsche's *Also Sprach Zarathustra*

INDEX

Numbers refer to pages. Irregular verbs have been entered only for special reasons, since they are listed alphabetically in Appendix D.

303